끝내주는 인생

끝내주는 인생

이슬아 산문집

디플롯

오랜 스승에게서 편지가 왔다.
이렇게 끝나는 편지였다.

> "슬아, 생이란 아흔아홉 겹 꿈의 한 꿈이니
> 부디 그 꿈에서 무심히 찬연하기를."

차례

표지 사진 〈손에 쥔 시절과 날아가는 공 The Days on Grip and a Flying Ball〉

사진 산문 〈내 손을 떠나는 이야기Tales That Elude My Hands〉

1 열매의 부피Volume of a Fruit, 30×26in, Pigment, 2023.
2 아흔아홉 개의 이전과 이후Ninety Nine Former and Latter, 42×27in, Pigment, 2023.
3 어제는 몬스테라가 시들고 동생이 태어나고 친구가 죽었다 오래된 유년의 나를 만났다 걔는 날 몰라보았고 나는 혼자 돌아왔다 내일은 질병의 시대다 오늘은 오늘의 계단을 만들었다Yesterday, a Monstera withered, a brother was born and a friend passed away. I ran into my old self: he didn't recognize me. I came back alone. It will be an era of disease tomorrow. I build the stairs of today. 30×24in, Pigment, 2021.
4 계단들Stairs, 55×70in, Pigment, 2023.
5 나를 만들고는, 내 손을 떠나는 이야기A Tale That Begets Me and Leaves My Hands, 66×55in, Pigment, 2023.
6 어디로든 돌아올 수 있었다We Could Have Come Back Anywhere, 30×30in, Pigment, 2023.
7 썩지 않는 커튼Not Decaying Curtains, 36×40in, Pigment, 2022.
8 이 속도를 믿을 수 없다는 얼굴로A Look of Disbelief Before This Velocity, 83×52in, Pigment, 2023.

프롤로그

노인들은 굽어 살핀다

땡볕 내리쬐는 무대에 선다. 야외에 마련된 작은 강연 무대다. 근처 공사장에선 포클레인이 오래된 건물을 허물고 있다. 먼지와 소음 속에서 땀을 훔치며 내 얘기를 풀어놓는다. 겪은 건지 지어낸 건지 헷갈리는 이야기를. 그러는 동안 관객석 한구석에서 처음 보는 할머니가 부채를 손에 꼭 쥐고 나를 바라본다.

강연이 끝나고 질의응답 시간이 된다. 보통 첫 번째로 손을 들 용기를 내는 사람은 잘 없다. 그러나 부채를 쥔 할머니는 망설이지 않고 손을 번쩍 든다. 할머니의 목소리는 들떠 있다.

"나는요. 작가님을 책으로 만났어요. 그러다가 하도 궁금해서 여기 찾아온 거예요. 오는 길에는 버스를 두 번 갈아탔어요. 내려서 걷는데 세상에 꽃들이 활짝 피어 있어요. 그러면 나는 멈출 수밖에 없지요. 멈춰가지고 꽃에 얼굴을 묻어요. 냄새를 들이마시려고요."

꽃이 핀 줄도 몰랐던 내가 할머니를 바라본다. 할머니는 사람들 시선에 아랑곳 않고 이야기를 이어간다.

"그렇게 와가지고 여기 앉아서 작가님 얘기를 흠뻑 들었어요. 꽃구경만치 재밌어가지고요. 나는 정말로 물어보고 싶은 게 있어요. 작가님이 결혼을 할까? 아이를 낳을까? 엄마가 될까? 그런 게 너무 궁금해요, 나는."

사람들이 웃고 나도 웃는다. 그런 질문을 삼가는 시대이기 때문이다. 나는 할머니한테 장난스레 여쭤본다.

"제가 어떻게 하면 좋으시겠어요?"

할머니는 설레는 목소리로 대답한다.

"작가님이 꼭 결혼하면 좋겠어요. 애도 낳고요. 그럼 또 얼마나 삶이 달라지겠어요? 그럼 또 얼마나 이야기가 생겨나겠어요? 나는요. 계속 달라지는 작가님의 이야기를 오래오래 듣고 싶어요."

사람들은 여전히 웃고 있지만 나는 눈시울이 벌게져 버린다. 절벽 같은 세상에서 결혼을 하고 엄마가 된다는 게 얼마나 덜컹이는 일인지를 곱씹으면서도, 누가 내 얘기를 그렇게 오래오래 듣고 싶어 한다는 게 너무 고마워서.

다음 이야기가 무엇인지 할머니도 나도 모른다. 어디선가 바람이 불어오고 할머니의 백발과 나의 흑발이 동시에 살랑인다. 건물 부서지는 소리도 들린다. 나는 무대에서서 수십 갈래로 뻗어나가는 내 인생을 본다. 그중 살아볼 수 있는 건 하나의 생뿐이다.

할머니가 들이마신 꽃향기를 맡으며 집으로 돌아간다.

밤이 된다. 나를 키운 할아버지한테서 전화가 걸려온다. 지금 텔레비에서 불꽃놀이를 생중계한다고. 얼른 켜서 보라고. 할아버지의 목소리는 들떠 있다. 나는 불꽃놀이에 별 관심이 없는데 할아버지는 자꾸만 보라고 한다. 조금 있으면 끝나니까 얼른 구경하라고 한다.

이 풍진 세상을
만났으니
너의 희망이
무엇이냐+

삼인행필유아사三人行必有我師. 그러니까 세 사람이 길을 걸으면 그중 한 명은 반드시 스승이라는데 정말일까?

내 친구는 손이 크다. 밥도 한 번에 많이 짓고 찌개도 한 냄비 가득 끓이고 나에게 값비싼 신발도 선물한다. 심지어 큼지막한 나무도 한 그루 키운다. 집 안에 그런 대형 식물을 들일 수 있다는 걸 개를 보고 처음 알았다. 나무는 손 큰 애 곁에서 십 년을 무럭무럭 자랐다. 애지중지 돌본 덕

+ 1930년대에 유행했던 대중가요 〈희망가〉의 첫 소절을 인용하였다.

에 하루하루 무성해지고 윤이 났다. 그 집에 방문한 손님들은 하염없이 나무를 구경하곤 했다.

그러던 어느 날 손 큰 애는 커다란 사기를 당하고 만다. 도대체 왜 그런 일이 벌어진 거냐고 묻는다면…… 그저 시대를 잘못 타고났을 뿐이라고 대답하고 싶다. 병든 시대가 내 친구를 홀린 것이다. 하지만 우리는 언제 어디서 태어날지 결정할 수가 없다. 어쩔 도리 없는 사건이 생에는 수두룩하다.

손 큰 애는 어쨌거나 살던 집에서 나가야 했다. 작은 집으로 옮기기 위해 살림살이를 줄였다. 가구며 식기며 책이며 옷이며, 손 큰 애를 손 큰 애답게 만들었던 물건들이 대거 처분되었다. 나무의 거취도 곤란해졌다. 작은 집에는 도저히 들일 수 없을 텐데 어떡하면 좋을까.

"네가 키워."

손 큰 애가 나를 보며 말했다. 나는 놀라서 손사래를 쳤다. 그렇게 귀하고 거대한 나무를 어떻게 책임진단 말인가. 손 큰 애만큼 훌륭히 돌보고 가꿀 자신이 하나도 없었다. 작년에 죽인 화분만 해도 다섯 개였다. 고개를 흔드는 나에게 그가 말했다.

"아무한테나 보낼 수는 없잖아."

손 큰 애는 꾹꾹 참아온 눈물을 터뜨렸다.

그렇게 나는 갑작스레 커다란 나무를 물려받게 된다.

나무를 물려받던 날엔 키 큰 애와 용달차를 불렀다. 내 친구 중 제일 훤칠한 앤데 걔가 들기에도 벅찰 만큼 나무는 무거웠다. 손 큰 애와 키 큰 애가 힘을 합쳤다. 욕조만 한 화분을 둘이 옮기느라 용을 썼다. 호흡이 그닥 잘 맞지는 않았다. 손 큰 애는 "하나, 둘, 셋!" 하며 힘을 썼고 키 큰 애는 "원, 투!" 하며 힘을 쓴 탓에 박자가 어긋났다.

우리 집 현관을 겨우 통과하는 거대 식물을 보며 나는 부담감에 짓눌려 말을 잃었다. 내가 한 일이라곤 조용히 위치를 안내하는 것뿐이었다. 일본의 작가 사노 요코는 친구가 키우던 꽃을 물려받을 때 꽃한테 이렇게 말한댔다. 널 어디에도 옮기지 않았다고. 달라진 환경을 꽃이 눈치채지 않도록 말이다. 그저 이 훌륭한 나무가 이사한다는 것을 실감하지 않기만을 바라며 입을 다물고 화분 주위를 걸레질했다. 손 큰 애가 땀을 닦으며 나를 쳐다보길래 작은 목소리로 말했다.

"나무는 웬만하면 모르는 게 좋잖아. 낯선 집에 왔다는 걸."

손 큰 애는 한심하다는 얼굴로 되물었다.

"모르겠냐, 나무가?"

소란을 피우는 사이 계절이 바뀌었다. 새집의 빛과 바람이 낯설어서인지 나무는 몸살을 앓았다. 이파리의 윤기도 예전 같지 않았다. 할머니한테 전화를 걸었다. 나무 이파리를 마요네즈로 닦아주면 좋다고 할머니는 말했다. 옆에서 듣던 할아버지가 아니라고 맥주로 닦는 게 한결 낫다고 말했다. 그렇게 귀한 나무를 어디서 산 거냐고 묻길래 친구가 망해서 나한테 맡겼다고 대답했다. 빚이 산더미라는 소식에도 할머니는 별 동요가 없었다. "그런 거 가지구 망했다고 하면 안 댜." 안 죽었으면 됐다고, 서른이면 아직 한창이라고도 덧붙였다.

아직 한창인 손 큰 애는 한참을 울며 지냈다. 울지 않기엔 빚이 너무 컸다. 나는 그저 들었다. 그의 후회스럽고 막막한 심정에 관해 듣고 또 듣는 것 말고는 해줄 수 있는 일이 없었다. 중간중간 휴지나 건넬 따름이었다. 키 큰 애는 나보다 다정하여 휴지를 건네는 대신 뺨에 묻은 눈물을 깨끗한 손으로 쓱쓱 훔쳐주었다. 수분 보충하라고 물도 계속 따라줬다. 너무 가슴 아픈 대목에서는 키 큰 애와 내가 함께 울기도 했다.

그러나 시간이 흐르자 눈물 대신 하품이 났다. 친구의 사정은 슬펐지만…… 슬픔도 지루해질 수 있는 것이었다.

하품하는 우리를 보며 손 큰 애가 말했다.

"내 심정은 진짜 아무도 이해 못 해. 아무도."

키 큰 애와 나는 머쓱해졌다. 세 사람이 모였으나 누구도 스승 같지 않았다.

돌림노래마냥 되풀이되는 푸념에 지쳐가던 어느 날 키 큰 애가 제안했다.

"이럴 때일수록 데이트를 하면 어떨까."

손 큰 애는 그 무슨 한가한 소리냐는 얼굴로 키 큰 애를 바라보았다. 키 큰 애는 힘주어 말했다.

"아무런 낙 없이 살 수는 없어."

데이트가 과연 낙일지 확실치 않았지만 말이다. 한 가지는 분명해 보였다.

"우리로는 충분하지 않잖아."

내 말에 손 큰 애는 잠자코 생각에 잠겼다. 내게 반해버린 타인의 눈으로 나를 바라보는 일. 남의 힘을 빌려서 겨우 자신을 사랑하는 일. 그런 구원이 좋은 연애에서는 일어난다.

"누가 사기당한 애랑 사귀고 싶겠어?"

"알아봐야지."

"복희씨처럼 사랑스러운 아줌마가 되고 싶었는데……"

손 큰 애는 빚에 시달리며 세월을 보내고 나면 인상이 고약한 아줌마가 될 거라고 믿었다. 자신의 미를 깡그리 잊은 듯했다. 나는 그 애의 장점을 하나씩 읊어보기로 했다.

"너는 손이 크고 예뻐."

걔가 큰 손으로 뭐든지 덥석덥석 집어 드는 모습은 속 시원하고 사랑스러운 데가 있었다.

"그래서 빚도 크게 졌지……"

손 큰 애는 심드렁히 받아쳤고 순식간에 절망의 그림자가 드리웠다. 키 큰 애가 분위기를 바꾸고자 다급하게 외쳤다.

"넌 섹시해!"

손 큰 애가 금시초문이라는 듯이 되물었다.

"내가?"

키 큰 애가 끄덕였다.

"너는 청바지 핏이 끝내주잖아."

나도 질세라 합세했다.

"살결도 엄청 부드러워."

손 큰 애는 여전히 미심쩍은 표정이었다. 키 큰 애와 나는 지원 사격을 아끼지 않았다.

"게다가 넌 마리옹 꼬띠아르랑 닮았어!"

"맞아, 사촌이라고 해도 믿겠어!"

손 큰 애는 뭐든지 막을 수 있는 방패처럼 응수했다.

"그냥 개구리 상이라는 뜻이잖아……"

우리는 굴하지 않고 공수를 주고받았다.

"또 너는 음식을 진짜 복스럽게 먹어!"

"그냥 많이 먹는 거겠지……"

"보폭이 커서 걷는 모습이 아주 시원시원해!"

"단지 다리가 조금 길 뿐이야. 아무 쓸모도 없어."

"넌 길에서 노상방뇨하는 아저씨를 바로 경찰서에 끌고 갈 만큼 담대해!"

"도대체 그런 게 뭐가 섹시하다는 거야. 어이없어."

그러나 이런 대화는 어쩔 수 없이 활기를 띠기 마련이었다.

밤이 되어 집에 돌아오면 혼자 골똘히 나무를 살폈다. 나무가 살면 친구도 어찌어찌 살아갈 거라는 믿음이 있었다. 어떤 날엔 마요네즈로, 어떤 날에는 맥주로 이파리를 닦아주었다. 나무도 그럭저럭 내 집에 적응해갔다.

얼마 후 정말로 데이트를 마치고 돌아온 손 큰 애와 마주 앉았다. 어땠냐는 질문에 그는 대답했다.

"구김살도 없고 고운 사람이야. 나랑 달리……"

키 큰 애가 말했다.

"난 네가 꾸깃꾸깃해서 좋던데. 굴곡 있고 재밌잖아."

손 큰 애의 미간이 기분 좋게 구겨졌다가 펴졌다.

"또 만날 거야?"

내가 묻자 손 큰 애는 골똘히 생각에 잠겼다. 가슴팍에서부터 "음……" 소리를 내며 한참을 고민하더니 입을 뗐다.

"다음에 만나면 키스하고 싶어. 그런데……"

"그런데?"

"키스 어떻게 하는 거더라?"

키 큰 애가 흥분해서 말했다.

"하고 싶을 때 하면 되지!"

하지만 손 큰 애는 그렇지 않다고, 키스는 생각보다 아주 까다롭고 어려운 일이라고 말했다. 나는 걱정하지 말라고, 빚 갚는 것보다 천배는 쉽다고 말하며 의자를 박차고 일어났다. 드디어 내가 실질적으로 도움을 줄 수 있는 일이 생겼다는 게 너무 신나서였다.

"만약 걔네 집에 갔어. 걔가 의자에 앉아 있다고 쳐. 그럼 일단 빤히 보는 거야."

"왜 빤히 봐?"

"응시만큼 야한 게 어딨냐?"

"생각만 해도 부끄러워."

"쳐다보지도 못하면서 키스는 어떻게 하려고."

"알았어. 일단 쳐다봤다 쳐."

"쳐다보다가 내키면 걔 머리카락을 만져봐."

"거기서 머리카락을 왜 만져?"

"머리카락 좋잖아……"

"아니……"

옆에서 듣던 키 큰 애가 흥분하며 끼어들었다.

"머리카락 진짜 야하고 예민해."

손 큰 애는 이해되지 않는다는 얼굴로 일단 들었다.

"만졌다 쳐. 그다음엔?"

나는 옆에 앉은 키 큰 애의 허벅지 위로 사뿐히 걸터앉으며 말했다.

"이렇게 살짝 올라타."

손 큰 애가 입을 틀어막았다.

"미쳤나봐……"

키 큰 애는 난데없이 내 엉덩이 무게를 감당하게 됐음에도 불구하고 매우 협조적으로 시뮬레이션에 동참해주었다. 나는 키 큰 애의 안경을 조심스레 벗기며 손 큰 애한테 말했다.

"안경은 무조건 벗겨야 돼."

손 큰 애가 물었다.

"도대체 왜?"

나는 당연하다는 듯이 대답했다.

"일단 눈꺼풀부터 시작해야지."

내가 키 큰 애의 눈꺼풀에 입술을 가져다 대자 손 큰 애가 책상을 치며, "그게 뭐야. 푸하하하하" 하고 웃었다. 얼떨결에 야한 자세로 엉켜버린 키 큰 애랑 나도 서로를 얼싸안고 웃었다.

그렇게 크게 웃은 건 사기를 당한 이후로 처음이었다.

살면서 해온 모든 키스. 좋거나 나쁘거나 더럽거나 슬펐던 그 모오든 키스 경험치가 죄다 고마워졌다. 빚더미를 등에 진 친구를 웃길 수 있다니. 그 순간 나는 내 인생이 더없이 귀해졌다.

며칠 뒤 손 큰 애는 두 번째 데이트를 하고 돌아왔다. 우리가 보여준 대로 키스했냐고 물었더니 아니랬다. 그냥 그의 뒤통수를 한 손에 끌어안으며 키스했다고 한다.

키 큰 애와 나는 중얼거렸다.

"역시 섹시하잖아……"

"손이 크다는 건 좋은 거였어……"

우리는 키스 얘기를 하면서 걷는다. 키스하는 삶이 키스 안 하는 삶보다는 대체로 낫다고 믿으면서. 하품하는 친구일지라도 없는 것보다는 있는 게 대체로 낫다고 믿으면서. 그러나 아무래도 빚 같은 건 없는 게 좋다고 믿으면서…… 살아가다 보면 친구가 볕이 잘 드는 집으로 이사할 날도 올 것이다. 그럼 귀한 나무를 다시 친구에게 돌려줄 수도 있을 것이다. 나무는 표정이 없지만 다 알 테다. 못 본 사이 친구의 영혼에 어떤 주름과 구김이 만들어졌는지.

그날이 올 때까지 친구도 나도 나무도 살았으면 좋겠다.

착한 여자는 천국에 가고
나쁜 여자는 어디에나 가지만
어리석은 여자는
군부대로 강연을 간다

사랑 때문에 어리석어지는 게 하루이틀 일도 아니지만 새삼스레 이야기해본다. 최근 몇 년간 나는 여러 애서가들로부터 사랑받았다. 실체도 없고 손에 쥘 수도 없는 사랑이었으나 분명히 흐르고 있었다. 전국 온오프라인 서점과 에스엔에스와 독서모임 같은 곳에서 말이다. 이 사랑은 내 판단력을 흐리게 만들었다. 숱하게 환대받지 않았다면 결코 하지 않았을 경솔한 선택을 하게 만든 것이다. 이를테면 군부대에서의 북콘서트를 수락하는 선택이랄지……

어느 스산한 겨울 낮이었다. 커다란 궁서체로 쓰인 적룡부대 간판을 지나치자 카키색 초소와 커다란 철문이 보였다. 운전석에 앉은 찬희가 차를 세웠다. 군복에 방탄모를 쓰고 총을 멘 남자 하나가 뛰쳐나와 물었다.

"무슨 일로 오셨습니까?"

스무 살쯤으로 보이는 그에게 대답했다.

"저희 둘 다 강연자입니다. 오늘 두 시에 있을 강연 프로그램에 섭외되어서 왔는데요."

그는 신분증을 요구했고 나와 찬희는 각자의 것을 보여주었다. 그가 방문자 목록에 신상정보를 적고 무전을 치는 동안, 철문 앞에 부착된 문장들이 우리 눈에 들어왔다.

> 부대 내 차량 블랙박스 촬영 금지, 휴대폰 지피에스 및 블루투스 사용 금지, 에스디 카드 및 유에스비 반입 금지, 지정 구역 이외에서의 촬영 금지, 군 기강 저해 사진 촬영 금지, 에스엔에스 사용 시 군부대 세부사항 노출 금지, 소속 부대 노출 금지, 종북 등의 불온한 표현물 전파 금지……

아무것도 금지하지 않는 모부母父 밑에서 자라난 우리 남매는 그 문장들을 멍하니 바라보았다. 수많은 금지 목록을 숙지하자 육중한 철문이 열렸고 우리는 그곳을 통과해 주차장에 차를 댔다. 산 밑이라 공기가 맑고 깨끗했으나 부대 앞마당에는 알 수 없는 긴장감이 감돌고 있었다.

저 멀리서 훤칠한 남자가 각 잡힌 걸음걸이로 다가왔다. 그 역시 카키색 군복에 베레모를 쓰고 있었다. 나의 대학 친구인 그의 이름은 정현. 나를 난생처음으로 군부대에 오게 한 장본인이었다. 적룡부대에서 장교로 복무 중인 정현은 문화예술 교육 예산이 조금 남아 있던 연말 어느 날, 나를 강연자로 섭외하기로 다짐했다. 부대 내 어느 생활관에서, 내가 쓴 책을 읽는 병사들을 보았기 때문이다.

정현의 설명에 따르면 지난가을 한 명의 병사가 내 책을 부대로 반입하였다. 재밌는 책이라는 입소문이 돌았고 어느새 생활관의 많은 병사가 내 책을 돌려 읽고 있었다. 원래는 나 대신 국방부 추천 강사가 와서 군인정신에 관해 강의하거나 근처 고등학교 댄스팀이 와서 공연할 예정이었지만, 그는 병사들에게 더 의미 있는 시간을 만들고자 작가 친구인 내게 섭외 메일을 썼던 것이다. 나는 하루도 쉬지 못하고 행사 및 강연을 뛰는 연말을 보내고 있었지만서도 정현과의 미미한 우정과 몇 안 되는 남성 독자들에 대한 호기심으로 강연을 수락했다. 여성 독자들 덕분에 굴러가는 출판계에 몸담으면서 책 읽는 남자들이 도대체 어디에 있는지 늘 궁금했기 때문이다.

사랑받다가 어리석어진 내 눈에, 나는 강연자로서 손

색이 없었다. 올해의 독립출판상과 올해의 신진출판사상을 연이어 거머쥔 출판업자인 데다가 젊고 믿음직스럽고 흥미로운 강연자였다. 정현은 나뿐만 아니라 내 동생 찬희까지 섭외했다. 찬희 역시 올해의 커다란 음악상을 받은 밴드의 리더로서 출중하였다. 얼마 전 나는 한 방송사에서 촬영하는 찬희의 무대를 보러 간 적이 있는데 공연장이 너무나 화려한 데다가 열혈 팬 수백 명으로 꽉 차 있어서 이제 내 동생은 거의 아이돌이 되었구나 싶었다. 정현은 나에게 한 시간짜리 글쓰기 강연을 진행한 후 찬희와 함께 다섯 곡의 노래를 부르는 북콘서트 행사를 요청했고 나는 큰 고민 없이 수락했다.

그리하여 적룡부대에 들어선 우리. 꼿꼿하고 반듯한 정현의 등을 바라보며 부대 건물로 입장했다. 학교를 개조한 듯한 구조였다. 복도에서 마주치는 병사들이 모두 깍듯하게 인사하고 지나갔다. 예의 바른 자세였지만 우리 곁을 스치자마자 그 정중함을 바로 거둘 것만 같았다. 정현은 우리를 접견실로 안내했다. 학교 건물로 치면 교장실에 해당하는 곳으로 대대장의 방이었다. 대대장은 이 부대에서 가장 높은 사람이랬다. 정현이 강연장을 세팅하기 위해 자리를 비운 사이 나랑 찬희는 대대장과 접견실에서 티타임을 가져야 했다. 그것이 관례였다.

각 잡힌 군복을 입은 건장한 대대장은 여느 중년과 다르지 않은 듯 보였으나 어떤 아우라가 그를 감싸고 있었다. 조금 더 지켜보니 아우라는 그의 내면이나 신체에서 뿜어져 나오는 것이라기보다 그의 옆에 선 남자들이 갖는 긴장감 때문에 만들어지는 듯했다. 병사들이 대대장에게 건네는 깍듯한 인사와 말투와 머리를 조아리는 모습이 매 순간 그에게 권위를 부여했다.

교장실 소파 같은 곳에 대대장과 우리 남매가 마주 앉았다. 그 사이에는 낮은 유리 탁자가 하나 있었는데 탁자 중앙에는 색지에 굴림체로 인쇄하여 코팅해놓은 메뉴판이 하나 있었다. 대대장이 우리에게 그 메뉴판을 건네며 말했다.

"작가님. 고르시죠."

메뉴판에는 아래와 같은 텍스트가 적혀 있었다.

아메리카노…… 0원

카페라떼……… 0원

핫초코………… 0원

오렌지주스…… 0원

찬희랑 나는 동시에 같은 생각을 하는 것 같았다. '점이 왜 이렇게 많이 찍혀 있는가.' '도대체 가격은 왜 써놓은 것인가.'

탈자본주의적인 메뉴판을 훑어보는 동안 어디선가 한 병사가 뛰어와서 우리 옆에 손을 모으고 섰다. 추정컨대 음료 담당 병사였다. 음료병에게 나는 따뜻한 아메리카노를, 찬희는 차가운 아메리카노를, 대대장은 오렌지주스를 주문했다. 음료병은 우리가 시킨 음료를 반복해서 말한 뒤 주머니에서 꺼낸 수첩에 세 가지 메뉴를 적고는 어딘가로 빠르게 뛰어갔다. 그리고 대대장과 우리 남매 사이엔 침묵이 흘렀다.

나는 어디에서나 누구에게나 그리하듯 우선 감사한 점을 말하기로 했다. "불러주셔서 감사합니다."

대대장이 대답했다. "와주셔서 감사하죠."

다시 침묵이 흘렀다. 문득 나의 장교 친구 정현이가 접견실에서 혹시 자기 얘기가 나오면 잘 말해달라는 식으로 당부했던 게 생각났다. 나는 대대장에게 말했다.

"정현이가 섭외 메일을 너무 정성스럽게 잘 써서 거절할 수가 없었어요."

"아. 그랬나요?"

"네. 이미 아시겠지만 정현이가 글을 잘 쓰거든요."

대대장은 흡족한 미소를 띠며 말했다.

"정현이는 다른 병사들에 비해 평정심이 강하죠. 어려운 일이 있어도 당황하지 않고 차분하게 처리합니다."

나는 수긍했다.

"표정 변화가 크게 없기도 하죠. 독특한 친구예요."

대대장도 수긍했다.

"맞아요. 독특하죠……"

정현의 독특함에 대한 공감이 지나가자 우리 사이엔 다시 침묵이 흘렀다. 찬희는 나와 달리 별말이 없었고 음료병은 아직 나타나지 않았다. 침묵은 계속되었다. 나는 침묵에 대한 책임감을 느끼고 호기심을 쥐어짜내어 대대장에게 물었다.

"대대장님은…… 어떻게…… 대대장님이 되셨나요……?"

당시로선 그게 최선의 질문이었다. 보통 사람이라면 머쓱해하며 웃었겠지만 대대장은 웃지 않고 자신의 할아버지부터 시작된 직업군인 집안의 역사를 이야기하기 시작했다. 별을 몇 개나 달았던 할아버지와 아버지를 따라 자연스럽게 육사를 나와서 지금 이 자리까지 오게 된 역사였다. 그 사이 음료병이 달려와 음료 세 잔을 우리 앞에 놓았다. 대대장의 군생활 일대기를 듣다 보니 음료를 어느새 반이나 마신 뒤였다. 대대장은 자기 부대의 용사들에 대한 책임감과 애정을 강조하며 이야기를 마쳤다. 상대방을 향한 관심을 최대한 발동 중인 내가 말했다.

“여러 사람을 관리하셔야 한다니 정말 책임이 무거우시겠어요. 해결해야 할 일들도 많으실 것 같고요.”

대대장은 물론 그렇다고, 날마다 고민이 깊다고 대답했다. 그래도 우리 용사들이 군생활을 최대한 잘할 수 있도록 책임지는 게 자기 일이라고 했다. 그전까지 나는 이곳 남자들을 군인 아니면 병사라고 불렀는데 대대장이 힘주어 용사라고 호명하길래 그를 따라 용사라고 부르게 되었다.

“용사들에게 좋은 강연이 되도록 애써보겠습니다.”

음료 잔이 다 비었으나 곧 온다고 했던 정현은 어쩐지 나타나지 않았다. 사실 정현이 준비해야 할 것이라곤 프로젝터와 앰프와 마이크 두 개밖에 없는데 그 간단한 강연장 세팅을 가지고 무척 정신이 없다는 듯이 이리 뛰고 저리 뛰고 있었다. 그는 어째서 찬희랑 나보다 더 긴장한 것인가. 어수선한 정현이 잠시 후에 접견실에 다시 등장하면서 대대장과의 접견은 겨우 끝이 났다.

강연장을 향해 올라가려는데 대대장이 기념사진을 찍는 순서가 남아 있다고 했다. 그래서 우리는 부대의 로비로 갔다. 로비 벽에는 커다란 동판 글씨로 짧은 영어 문장이 새겨져 있었다.

Look North!

대대장, 나, 찬희, 부사관, 정현. 이렇게 다섯 명이 '룩 노쓰'를 등지고 나란히 서자 어디선가 사진을 찍는 용사가 빠르게 나타났다. 사진병은 구식 디지털카메라를 들고 각 잡힌 채로 하나 둘 셋을 외쳤고 우리 다섯은 바르게 선 채로 카메라를 응시했다.

대대장이 한 컷 더 찍자고 했다. 그는 절도 있게 오른손 검지와 엄지를 교차하여 정면으로 내밀었다. K-하트였다. 찬희랑 나는 한 번도 그 동작을 해본 적이 없었다. 어쩐지 창피했기 때문이다. 하지만 대대장이 먼저 굳건하게 K-하트를 한 채 우리를 기다리고 있었다. 정현과 부사관도 빠르게 그 손짓을 따라 했다. 별수 없이 우리도 엄지와 검지를 교차한 채 살짝 내밀었다. 그렇게 두 번째 사진이 찍혔다.

대대장과 헤어지고 다시 정현의 뒤를 따라 강연장으로 향했다. 강연장은 산과 인접한 곳이어서 오르막길을 좀 올라야 도착할 수 있었다. 노란 장판이 깔린, 아주 커다란 컨테이너 건물이었다. 신발을 벗을 거라고는 예상치 못했다. 아주 멋진 신발을 신고 왔으나 별수 없이 벗었다. 나는 검은색 양말을, 찬희는 빨간색 양말을 노출하며 그곳에 발을 들였다.

강연장에 입장하자 약 삼백 명의 용사가 줄 맞춰 앉아 있었다. 오래된 형광등 불빛이 삼백 개의 키위 같은 정수리를 비췄다. 급식실 같았다. 북적이고, 어수선하고, 낯선 냄새들이 한곳에 섞여 답답하고 어딘가 습하다는 점이 비슷했다. 내가 설 무대는 그들의 정면에 위치한 나무판자 위였다. 평상 크기만 한 그 판자는 너무 낡아서 발 디딜 때마다 나무 늘어나는 소리가 삐걱삐걱 났다. 위에 깔린 붉은 카펫이 남루한 나무판자의 표면을 가리고 있었는데, 자세히 보니 카펫이 아니고 빨간색 부직포였다.

나는 판자 위에 올라가 마이크 테스트를 해보았다. 내가 "아, 아" 하고 소리를 내볼 때마다 삼백 명의 수다가 일순간 중단되었다. 그 집중은 작가여서 받는 것도 아니고 출판사 대표여서 받는 것도 아니었다. 용사들은 그저 처음 보는 여자가 앞에 나와서 소리를 냈기 때문에 집중했다. 그들은 내가 누군지 몰랐다. 젊은 여자가 강연자로 온 게 생소하여 위아래로 훑어볼 뿐이었다.

그제야 나는 직감하게 되었다. 삼백 명의 용사 중 내

책을 읽은 용사는 아마도 열 명 이하일 것임을. 나를 사랑하는 애서가들은 이곳에 거의 없음을. 나의 장교 친구는 적룡부대의 많은 병사가 내 책을 돌려 읽었다고 이메일에 썼고 그래서 나는 흔쾌히 강연을 수락했지만, '많다'의 기준은 사람마다 다를 수 있었다. 이제부터 나는 나에게 아무 관심도 없는 이백구십 명 앞에서 말을 하고 노래를 불러야 했다. 누추한 무대에서도 누추하지 않은 사람이 될 수 있을까.

마이크 테스트를 마치고 삐걱대는 판자를 밟으며 내려온 뒤 찬희랑 밖에 나가 담배를 한 대 피웠다. 찬희가 태평하게 중얼거렸다.

"누나. 좆됐는데?"

나보다 거친 인생을 살아온 찬희 입장에선 이 모든 게 별일이 아닐 수 있었다. 하지만 삼백 명의 용사들 앞에서 신발을 벗고 양말만 신은 채로 걷는다는 건 내겐 너무 남사스러운 일이었다. 처음 보는 그들에게 발을 보여주는 게 부끄러웠던 것이다. 그들의 발을 보는 것도 마찬가지였다. 맨 앞줄에 앉은 용사들의 양말이 눈에 띄었다. 다들 두툼한 소재의 녹갈색 양말을 신고 있었다. 입대란 모두 같은 양말을 신게 된다는 것을 의미하는구나. 속옷도 마찬가지겠지…… 그러니까 이곳에서 나의 사복 차림이 눈에 띄는 것은 당연했다. 아침에 원피스를 입었다가 청바지에 목폴라로 갈아입었는데 그러길 잘했다는 생각이 들었다. 그들 또래의 여자 친구로 보일수록 불리한 자리이기 때문이다. 차라리 스티브 잡스 차림이 나았다. 갑자기 확 중년이 되고만 싶었다. 혹은 남자가 되고 싶었다. 아무튼지 간에 비非여성이고 싶었다.

나는 무대 옆 구석에서 트렌치코트를 벗고 가방을 내려놓았다. 강연장을 빽빽하게 채운 용사들은 지루하거나 미치겠거나 뭔가가 웃겨 죽겠는 얼굴이었다. 끊임없이 농담하며 낄낄대고 서로를 툭툭 치며 손장난을 하거나 뭐든 빨리 끝났으면 하는 표정으로 졸고 있었다. 그런 얼굴들을 한 사람씩 똑바로 마주할수록 내 마음속 용기가 사그라들었기 때문에 벽 쪽으로 시선을 돌렸다. 온통 연녹색 페인트로 색칠된 벽. 거기 새겨진 몇 가지 문장이 인상적이었다.

용감한 병사는 단지 오 분 더 용감했을 뿐이다.

무슨 뜻이지? 나는 고심했다. 용감한 병사와 그렇지 않은 병사는 깻잎 한 장 차이라는 건가? 아니면 오 분 동안 병사는 많은 일을 한다는 뜻인가? 용감하면 그냥 오 분 먼저 위험해지는 거 아닌가…… 문득 군부대에서 카피라이팅을 담당하는 자가 누구일지 궁금해졌다. 한편, 무대 맞은편에는 병영도서관이라고 불리는 몇 줄의 책꽂이가 있었는데 그쪽 벽에 새겨진 문장은 다음과 같았다.

사람이 책을 쓴 것보다 책이 사람을 만든 것이 많다.

이건 또 무슨 소리일까? 여러 번 다시 읽어보았지만 아무리 생각해도 비문이었다. 사람이 책을 쓴 것보다 책이 사람을 만든 것이 많다니. 주술관계가 맞지 않았다. 그러니까 저 문장이 하고 싶은 말은 '사람이 책에 미친 영향보다 책이 사람에게 미친 영향이 더 크다'는 것인가? 아니면 '책을 쓴 사람보다 사람을 만든 책이 많다'는 것인가? 그게 도대체 무슨 소리인가…… 내 정신은 금세 멍해지고 말았다. 이 부대에 새겨진 문장 중 무슨 뜻인지 한번에 이해할 수 있는 유일한 문장은 '룩 노쓰'뿐이었다.

나무판자 뒷벽으로 나의 강연 자료가 떴다. 장교 친구에게 일주일 전에 보내놓은 피피티 파일인데 제목은 다음과 같았다. '글쓰기의 쓸모에 관하여.' 분명 내가 정한 주제

였으나 마치 감 떨어지는 상사에게 뜬금없이 부여받은 임무처럼 낯설었다.

몇 주 전 장교 친구는 세 가지 주제 중 하나를 택하라고 했다. 군부대 교육은 크게 세 가지로 나뉜댔다. 1. 안보 교육, 2. 전우애 향상, 3. 인성 함양. 내가 안보 교육을 할 수는 없으니 1번은 탈락이었다. 2번의 경우 '전' 자만 뺀다면 '우애'에 관해서는 할 말이 있었다. 3번 인성 함양은 자칫 자기계발서처럼 흐를 수도 있긴 하지만, 사실 모든 교육은 인성 함양과 관련 있다고 볼 수 있었다. 그러므로 나는 2번과 3번을 연결하여 글쓰기 강연을 하기로 했다. 글쓰기는 우애와 인성에 커다란 영향을 미치는 예술이기 때문이다. 글쓰기가 아니었다면 다시 보지 않았을 친구들의 얼굴과, 글쓰기가 아니었다면 부끄럽지 않았을 나의 인성을 떠올렸다. 그런 점에서 글쓰기는 아주 쓸모가 있었다.

하지만 삼백 명의 용사들 앞에 선 지금 당장은 글쓰기가 별 쓸모가 없어 보였다. 차라리 원래 예정되어 있던 고등학교 댄스팀이 이곳에 오는 게 나을 뻔했다. 나는 그저 집에 가고 싶었지만 어느새 나의 장교 친구가 먼저 무대에 올라가 우리 남매를 소개하고 있었다.

"어렵게 모셨습니다. 이슬아 작가님의 강연부터 듣겠습니다. 박수로 맞이해주세요."

힘찬 박수 소리를 받으며 삐걱대는 나무판자 위로 다시 올라갔다. 올라가기 싫다며 떼쓰는 내 마음을, 내 몸이 억지로 데리고 올라간 무대였다. 빨간색 부직포 위로 검은색 양말을 신은 두 발이 닿았다. 열띤 박수 소리와 함성이 들렸다. 그 사이로 누군가가 야유하는 듯한 소리도 들렸고 킥킥대는 소리도 들렸다. 사랑받는 것 같기도 하고 놀림받는 것 같기도 했다.

이후 한 시간 동안 진행된 강연은 아주 흐릿하게 남아 있다. 내 정신세계는 곤란했던 일들을 빨리 잊게끔 설계된 듯하다. 다만 확실히 기억나는 건 강연 내내 이 말을 거듭해야만 했다는 것이다.

"여러분…… 부탁인데 조금 조용히 해주실 수 있을까요?"

남자 중학교 2학년 교실에서나 했을 법한 말이었다. 나는 마치 악몽을 꾼 것처럼 군부대 강연장에 서 있었다. 평소 나의 북토크는 칠 분 만에 전 좌석이 매진되곤 했다. 경청하는 독자들이 주된 청중이었다. 그런 희귀한 영광의 시절을 누리느라 나는 중요한 사실들을 잊고 지냈다. 내 목소리가 몹시 미약하다는 것. 삼백 명을 장악할 아우라 따위는 가지지 못했다는 것…… 나는 작은 체구의 심약한 작가로서 가까스로 강연을 마쳤다. 글쓰기를 통해 탐구해온 나와 다른 사람의 삶에 관해 이야기를 풀어보았지만 무언가 전해지고 있다는 느낌이 도무지 들지 않았다.

이윽고 질의응답 시간이 다가왔다. 한 명의 용사가 손을 번쩍 들고 일어나 나에게 질문을 건넸다.

"작가님이 혹시 〈멜로가 체질〉 쓴 작가예요?"

나는 대답했다.

"아뇨…… 그 드라마는 제가 쓴 게 아닙니다. 그리고 저는 드라마 작가가 아닙니다……"+

질문을 한 용사가 "아~" 하며 다시 자리에 앉았고 옆에 있는 용사들이 낄낄댔다. 내 마음에 작은 절망감이 스쳤다. 내 얘기를 귓등으로도 안 들었구나!

여기가 아니었다면 우리 만남은 더 나았을지도 모른다. 군복은 집단을 하향 평준화시키는 효과가 있으니까. 사복을 입었다면 하지 않았을 농담이 그들 사이를 오갔다. 평소 점잖게 지내다가도 민방위 훈련만 가면 다소 까진 자세로 거드름을 피우는 아저씨들처럼.

더 절망적인 사실은 지금부터 찬희랑 내가 노래를 해

+ 그러나 이 글을 쓰고 삼 년 뒤 소설《가녀장의 시대》의 드라마 제작이 확정되면서 이슬아는 드라마 작가로 데뷔한다.

야 한다는 것이었다.

사랑과 용기에 취해 강연뿐 아니라 공연까지 수락해버린 과거의 나를 원망하며 무대에 마이크 스탠드를 설치했다. '이슬아 미친년'이라고 속으로 외치며 목을 가다듬었다.

대기하던 찬희가 나무판자 위로 걸어 올라와서 기타를 멨다. 찬희의 양말은 빨간색이었는데 유감스럽게도 나무판자 위 부직포와 정확히 똑같은 컬러였다. 마치 찬희의 발이 무대와 연결된 것처럼 보였다. 정확히는 무대에서 우뚝 솟아난 사람처럼 보였다. 그렇게 우스꽝스러운 모습을 하고 있어도 찬희는 나의 믿을 구석이었다. 그가 누구인가. 십 년간 홍대 라이브 클럽에서 활동하며 수백 번의 무대를 경험해본 자 아니던가. 하지만 찬희의 마이크에서는 끊임없이 하울링이 났다. 고장 난 마이크를 설치해놓은 장교 친구 때문이었다. 장교 친구는 나를 섭외하는 것에 성공한 것 빼고 제대로 하는 일이 없었다. 마이크에 대고 소리만 내면 귀를 찢는 듯한 잡음이 났다.

이 시대의 진정한 쾌남인 찬희는 과감히 마이크를 껐다. 그러더니 들개처럼 생목으로 노래를 부르기 시작했다. 그 거침없는 기세에 나는 충격을 받았다. 나라면 절대 못 했을 짓이었다. 찬희의 배짱에 기대어 나도 노래를 시작했다. 찬희가 작사 작곡한 노래를.

물때를 놓쳐 집으로 못 갔지만
사랑하는 이 있어 사내는 괜찮다오
방파제에 앉아 천천히
바다를 펴놓고 당신을 그린다

모래사장 위로 짠바람 흐른다
고향에만 오면 괜시리 기분이
어딘가 조금 몇 군데는 부서진 갑판에 올라
뱃노래 부르며 바라본다 동해+

용사들은 여전히 떠들거나 낄낄대는 중이었지만 내 마음은 어쩐지 점점 괜찮아졌다. 좋은 노래가 주는 위안 때문이었다. 나에게 관심 없는 삼백 명 앞에서 무언가를 굳이 해야 한다면 말보다 노래가 나을지도 몰랐다. 어느새 나타난 대대장이 노래에 맞춰 각 잡힌 박수를 치고 있었다. 바닥에 다리를 틀고 앉아 있는 삼백 명의 용사들 사이로 대대장만이 의자에 앉아 있어서 눈에 띄었다. 남자들의 집단은 아무리 누추한 장소에서도 위계질서를 명확히 드러내

\+ 〈동해〉라는 곡으로, 밴드 차세대가 발매한 EP《The Next Generation》(2019)에 수록되어 있다.

곤 했다.

그러다가 어느 순간, 구석에 앉은 한 용사의 얼굴이 눈에 띄었다. 숱한 용사 중 하나인 그는 눈을 감고 우리의 노래를 듣고 있었다. 옆 사람 눈에 띄지 않게 조용히 집중하면서. 여리고 소중한 것을 자신에게 담으려는 것처럼. 그런 얼굴로 우리의 소리를 듣는 건 그 사람뿐이었다.

이어지는 네 곡은 오직 그 사람만을 생각하며 불렀다.

적룡부대의 나무판자 위에서 나는 용기가 잔뜩 꺾인 채로 서 있었지만, 사랑받지 않으며 용기를 잃는 일이 얼마나 중요한지 알게 되었다. 그러면 오직 한 사람만이 중요해지기 때문이다. 사랑과 용기에 취했을 때는 한 사람이라도 내 목소리를 들어주는 게 얼마나 소중한 일인지 결코 알 수가 없었다.

다시 없을 군부대 북콘서트를 마치고 나온 뒤 찬희랑 나란히 서서 담배를 한 대씩 피웠다. 찬희가 말했다.

"좆됐었다."

나는 그저 먼 산을 바라보았다.

시뻘건 노을을 등지고 우리 남매는 유유히 적룡부대를 빠져나왔다.

그랜드도터

옛날이야기를 들려드릴까 합니다. 저보다 더 오래된 이야기입니다. 고종 황제가 죽고 전국에서 삼일운동이 일어나고 유관순 열사가 체포되고 〈독립신문〉이 창간되던 1919년에도 태어날 아이들은 힘껏 태어났을 텐데요. 충청남도 공주에서 태어난 고순남씨도 그런 아이들 중 하나였다고 합니다. 그가 쓸 줄 아는 말은 딱 하나, 자기 이름 세 글자였어요. 또 다른 글자를 읽고 쓸 기회는 주어지지 않았습니다. 그는 먼 훗날 저의 증조할머니가 됩니다.

순남씨가 태어난 지 백 년도 넘은 지금, 저는 삼십대의 한복판을 지나는 중이고 온갖 어휘의 바다에서 글을 쓰고 있습니다. 더 이상 세상에 없는 순남씨를 떠올린 것은 연초에 점을 보러 갔다가 들은 말 때문입니다. 맹인 선생님께서 크고 두꺼운 점자책을 펼친 뒤 종이의 표면을 능숙하게 훑으며 말씀하셨습니다.

"슬아씨 재주는 슬아씨한테서 온 게 아니에요."

그럼 누구한테서 온 거냐고 제가 물었죠. 선생님은 대답하셨어요. "증조할머니가 주신 거예요. 그분이 큰무당이셨잖아요."

저는 고개를 끄덕였습니다. 사 대代를 횡단하여 전해졌다는 재주가 무엇인지는 몰랐지만 증조할머니가 유명한 무당이셨던 것만은 알고 있었기 때문입니다. 복채를 내고 점집에서 나온 뒤 만나보지 못한 고순남씨의 삶을 탐구하기 시작했습니다. 복채로 낸 오만 원은 실제로 한 번도 본 적 없는 할머니에 대한 판타지를 제공받은 비용 같았습니다.

가장 먼저 꺼내본 건 순남씨의 영정사진입니다. 사진 속에서 그는 엄하고 맹렬한 눈으로 정면을 응시하고 있습니다. 야무지게 쪽진 머리. 칠 대 삼 가르마로 훤히 드러낸 이마. 낡은 한복 차림…… 사진을 함께 들여다보던 병찬씨가 중얼거렸습니다.

"치마만 둘렀지 대장부나 다름없으셨어."

순남씨를 증언하는 병찬씨는 저의 외할아버지이자 순남씨의 셋째 아들입니다. 1947년에 태어나 전파사를 운영해온 사람이지요. 그는 이성과 합리의 세계에서 일하는 기술자인데요. 그런 병찬씨도 순남씨에 대한 기억만은 꼭 꿈을 꾸듯이, 혹은 오래된 신화를 전하듯이 말하더군요.

"내가 다섯 살 때부터 어머니가 많이 편찮으셨어. 어머니 나이 서른셋이었는디 몸이 야윌 대로 야위셔서 팔다리가 꼭 꼬챙이 같어. 밥상을 내어가도 드시지를 못했지. 밥알이 꼭 솜털처럼 보이신다는 거여. 밥이 아닌 걸 내왔다고 역정을 내셨어. 일도 못 하시고 제대로 먹지도 못 하시고 몇 년을 누워 계시니까 집이 갈수록 가난해지지. 무슨 병인지 알지도 못햐. 얼마 못 살 거라고 동네 사람들이 그랬어.

그러다가 어느 날 아침에 옆집 남자가 찾아와. 찹쌀떡 장사하는 남자인디 간밤에 꿈을 꿨댜. 산신령이 우리 집 기둥으로 내려와가지고는 어머니를 한참 바라봤다는 거여. 그 꿈을 꾸고 걱정이 되었나벼. 진짜로 곧 죽을까봐. 그이가 호주머니를 열더니 돈을 좀 주더라고. 이걸로 굿이라도 좀 해보라고. 내가 그 돈을 들고서는 유명하다는 무당을 찾아갔어. 공주시 계룡면 신기리에 사는 무당이었는디, 그 동네가 우리 집에서 삼십 리여. 거기까지 땀 뻘뻘 흘리면서 갔더니 무당네 가족이 두부를 쑤려는지 맷돌에 콩을 갈고 있는 겨. 한시가 급하다고 사정을 했지. 우리 어머니가 많이 아프다고. 그러니까 무당이 두부 쑤던 걸 관두고 짐을 챙겨. 그 당시 내가 낸 돈은 굿판 벌리기엔 한참 부족했어. 하도 급하다니까 사정을 봐줬나벼. 무당이랑 삽십 리 길을 다시 걸어왔지.

집에 와보니까 어머니가 두꺼운 이불을 몸에 돌돌 말고서는 마당에서 햇볕을 쬐고 계셔. 너무 추우시댜. 한여름인데도 오들오들 떠시는 겨. 무당헌티 왜 이제야 왔냐고 성을 내셔. 무당이 이제 걱정 붙들어 매라고 하더니 부엌에 가서 준비를 햐. 그렇게 일주일이나 굿을 한 겨. 사흘째 되던 날에 무당이 그랴. 어머니는 신을 받아야 된댜. 신내림굿을 막 하니까 이레째에 어머니가 자리에서 일어나 춤을 추기 시작햐. 도대체 어디서 그런 기운이 나오셨는지…… 신의 힘으로 추신 게 아닌가 싶어.

굿이 다 끝나고 사흘째 뒤에 어머니가 걸어 나오셨어. 그때부터 무당 일을 시작하신 겨. 용하다고 금세 소문이 났어. 이후로는 충남이며 충북이며 서울까지 안 다닌 데가 없어. 사람들 만나서 얘기 듣고 대답해주고 춤춰주고 기도 올리면서 돈을 벌어오셨지. 그 돈으로 쭉 우리 가족을 키우신 거여. 신기한 것이 우리 어머니는 생전 글을 배운 적이 없는데 굿만 하면 길고 긴 경전을 술술 외워. 읽지도 않은 거를 어떻게 막힘없이 말하는지 몰러."

병찬씨는 믿기지 않아도 별수 없는 사실이라는 듯 이야기를 마치셨어요. 이 얼마나 마르께스적인 화법입니까. 저는 마술적 리얼리즘 문학을 읽듯 병찬씨의 이야기를 들었습니다. 점프를 하다가 하늘로 승천해버린다거나 화산 폭발 같은 숨소리를 낸다거나 웃음소리로 집 안의 창문을 깨뜨리는 소설《백년의 고독》속 사람들 못지않게 순남씨는 환상적입니다. 순남씨의 영정사진을 다시 바라보니 죽다 살아나셔서 신과 함께 집안을 일으키는 가장의 위엄이 언뜻 비칩니다.

한편, 병찬씨가 스무 살에 낳은 첫째 딸, 1967년생 복희씨가 들려주는 순남씨 이야기는 장르가 또 다르더군요. 복희씨의 증언 속에서 순남씨는 오지랖 넓고 다정한 동네 할머니로 살아있습니다.

"우리 할머니는 복숭아를 남겨오는 법이 없어. 옆동네에서 일하다 보면 한 광주리씩 받으실 때가 있었거든. 근데 그거를 있잖아, 퇴근하는 길에 만난 동네 사람들한테 하나 둘씩 다 나눠준 거야. 집에서 기다리면 할머니가 빈 광주리만 들고 나타나셔. 나는 속상해서 막 눈물이 나. 내 거는 없냐고 울어. 그게 귀여운지 할머니가 막 웃어. 웃으면서 나를 껴안아주셨던 기억이 나.

할머니는 동네 사람들한테 그렇게 내 자랑을 하고 다니셨어. 충청도 분이라 '희' 발음이 잘 안되는지 복희를 꼭 복크라고 부르셨지. 우리 복크가 밥을 얼마나 잘하는지, 우리 복크 마음씨가 얼마나 예쁘고 야무진지 주구장창 얘기하는 거야. 우리 엄마 아부지는 맨날 일 나가 있으니까 식구들 밥을 내가 직접 지었거든. 아궁이에 불 때서 보리밥 하고 밭에서 오이 따다 무치고 얼갈이배추 겉절이 하고…… 밥 뜸 들일 때 솥 구석에 가지를 살짝 올려서 익혀가지고 조선간장이랑 들기름에 살짝 무쳐서 가지나물 반찬도 했지. 초등학생 때부터 그랬어. 할머니는 복크 밥이 제일 맛있대. 어디서든 사람들 다 들을 수 있게 복크야, 복크야 하고 부르셨어."

복희씨는 순남씨의 칭찬과 자랑에 둘러싸인 채로 유년기를 보냈다고 합니다. 세상에서 가장 행복한 사람은 내가 아닐까 생각했을 정도였다고 합니다. 순남씨는 복희씨의 머리를 쓰다듬으며 이런 말도 했습니다. "복크야. 너는 사랑이 많으니까 커서 간호사를 햐. 사람들을 돌보고 복을 나눠주면서 살어라."

그 시절 순남씨 생각에 여자가 가질 수 있는 가장 존

경받는 직업이 아마도 간호사였던 것 같다고 복희씨는 짐작합니다.

순남씨가 돌아가신 것은 1980년대 초입니다. 그 시절 복희씨네 가족은 사정이 무척 어려웠어요. 집이 없어 비닐하우스에서 지내야 했을 정도였습니다. 복희씨는 생의 마지막 순간을 비닐하우스에서 맞이하는 할머니를 지켜보았습니다. 오랜 세월이 흘렀지만 할머니의 초라한 임종은 복희씨 가슴에 돌처럼 박혀 있습니다. 가난 때문에 앞당겨지는 죽음도 있음을 그는 일찍이 알게 되었습니다.

이제는 그 역시 자신이 기억하는 순남씨의 나이를 향해 가는 중입니다. 쉼 없이 그렇게 되고 있습니다. 간호사가 되지는 않았어도 찬란한 모습으로 살아있어요. 비록 순남씨는 없지만 여전히 그가 우리 모녀의 생을 지탱한다고 느낄 때가 있습니다. 순남씨가 복크야, 복크야 하고 수없이 불러주고 어마어마한 사랑으로 복희씨의 유년을 감싸주었기 때문에 복희씨가 저를 낳을 용기를 낸 건지도 모릅니다. 복희씨는 사랑과 자랑이 얼마나 좋은 것인지 순남씨를 통해 배웠습니다. 그는 자기가 듬뿍 받아본 것을 제게 듬뿍 나눠주며 중년이 되었습니다.

중년의 복희씨 얼굴에 유년의 복희씨 얼굴이 잠시 스

칠 때가 있어요. 차분하고 인내심 많은 병찬씨의 얼굴도, 사진에서 본 맹렬한 순남씨의 얼굴도 언뜻 스칩니다. 그런 복희씨 얼굴이 어느 날 제 얼굴에 스칠 때도 있습니다.

저는 궁금해졌습니다. 만약 순남씨의 눈으로 지금의 복희씨를 볼 수 있다면 어떨까. 무슨 말을 하고 싶으실까. 사실은 다 지켜보고 계신 것 아닐까. 만나본 적 없는 증조할머니를 생각하다가 노래를 하나 만들었습니다. 당신의 손녀 복희가 바람 맞으며 달려오는 걸 바라보는 마음을 그리며 쓴 곡입니다. 제목은 〈그랜드도터〉.

그래 벌써 오래전의 일이지
언덕길 너의 얼굴
찬바람 사이로 달려와
인사하던 모습

마주치는 거리마다
그 웃음 여전할 텐데
쉼 없이 무얼 바라고 버리고
저만치 멀어지네

못 본 새 많이 아름다워지고

슬픔이 짙어졌구나
강처럼 서러운 마음도
어느새 빠르게 지쳐버리지만

스치는 거리마다
그 웃음 여전할 텐데
쉼 없이 무얼 바라고 버리고
저만치 멀어지네

가끔 울고 싶을 텐데
여전히 쓸쓸할 텐데
찬바람 사이로 달려와
인사하던 모습
저만치 멀어지네
저만치 멀어지네

장구와 거문고 반주가 어울리는 노래인데요. 부를 때마다 마음이 깊어지고 슬퍼지는 느낌이 듭니다. 문득 제 이름을 다시 생각해보았습니다. 거문고 슬瑟, 예쁠 아娥. 이런 것을 만들라고 지어진 이름 아닐까 하고요.

'팬텀 스레드'라는 말을 들어보셨나요. 꿰맨 흔적 없는 천사의 옷처럼 귀신같은 솜씨를 뜻하는데요. 바느질 티도 나지 않을 만큼 아름다운 무언가를 보고 어른들은 귀신의 재주라고 말하기도 하죠. 저는 이 노래를 꼭 증조할머니 순남씨의 영혼이랑 같이 만든 기분이 듭니다. 무섭지 않은 귀신으로 제 마음 한구석에 앉아 계신 순남씨. 굿이 기도의 일종이라면 이 노래가 저의 작은 굿일지도 모르겠습니다. 당신을 생각하다가 기도문 같은 노래를 썼다고 고백한다면, 순남씨는 어떤 표정을 지을까요.

증조할머니가 돌아가신 지 사십 년 뒤에 이런 문장을 적고 있습니다. 그가 태어난 날로부터 지금까지 백 년을 사이에 둔 증손녀의 판타지입니다. 병찬씨도 복희씨도 저도 언젠가는 순남씨 계신 곳에 도착할 텐데요. 무당이었던 조상을 기억하는 것만으로도 덜 고독해지는 기분입니다.

마르께스의 소설 《백년의 고독》에서 사람들은 비슷한 실수를 반복하며 살아갑니다. 그 실수 때문에 어떤 고독이 거듭되죠. 후대의 자손들도 선조와 비슷한 고독을 겪고요. 그러나 저의 판타지에서는 고독보다 재주가 더욱 커다랗게 반복됩니다. 마술 같은 재주와 귀신같은 솜씨로 우리는 몇 대를 횡단하며 연결됩니다. 엄마와 엄마의 아빠와 그 아빠의 엄마를 동시에 품은 채로 노래를 하고 글을 쓰면서 저는 무언가가 되풀이되고 있음을 느낍니다. 실은 내가 아주 오래전부터 시작되어온 느낌. 내 몸이 그저, 재주가 흐를 만한 통로인 것 같다는 느낌. 그것만으로도 충분하다는 느낌.

옛날이야기로 시작했는데 벌써 이렇게나 가까이 와버렸습니다. 순남씨가 보시기에 백 년은 눈 깜짝할 사이 지나가버리는 시간일지도 모르겠어요. 쉼 없이 무얼 바라고 버리며, 더욱더 오래된 제가 되어가려 합니다.

영월의
연인들

1997년, 관광버스에서 어린 내가 자다 깨다 한다. 버스는 고갯길을 넘느라 좌로 쏠리고 우로 쏠리며 덜컹대는 중이다. 그것도 모르고 남동생은 누가 업어 가도 모르게 잔다. 말똥말똥 차창 밖을 바라보는 사람은 엄마뿐이다. 2인용 좌석에 엄마하고 나하고 동생이 나란히 앉을 수 있을 만큼 우리 남매가 어렸을 때의 이야기다. 엄만 왜 안 잘까. 차를 오래 탔는데 졸리지도 않나. 영월에 다 와 가서 그랬다는 걸 이제는 안다.

아빠가 돈 벌러 영월로 떠난 여름. 휴게소 화장실도 혼자 못 다녀올 만큼 어린 우리가 알 리 없다. 몇 달 만에 남편을 만나는 엄마의 기분을. 우리는 그저 잠결에 버스에서 내리고 엄마는 양어깨에 바리바리 가방을 둘러멘다. 한산한 버스터미널. 출구 쪽의 한가한 택시들. 엄마가 그중 하나를 잡아탄다. 험하고 아름다운 절경 속으로 택시는 들어선다. 그제야 차창 밖을 바라보는 동생과 나. “여기가 동강이야. 너무 멋있지?” 엄마가 말해서 우리는 여기가 동강임을 안다. 기사님이 김삿갓면이라는 지명을 말해주지만 듣자마자 잊은 채로 커다란 강줄기와 신기한 절벽을 넋 놓고 바라본다.

강변에는 작은 민박들이 늘어서 있다. 그중 한 곳이 아빠 숙소라고 한다. 타이어가 커다란 자갈 위를 지나간다. 자그락자그락 소리와 함께 민박집 마당에 들어선다. 어린 남매와 세 개의 짐 가방을 챙겨 내리는 엄마. 주위를 둘러본다. 매미 소리도 나고 강물 소리도 난다. 한여름의 땡볕이 우리 정수리를 내리쬔다. 그리고 저 멀리 보이는 익숙한 사람. 우리가 아는 아빠보다 훨씬 더 까무잡잡한 아빠가 걸어온다. 무얼 했기에 저렇게 온몸이 그을린 걸까. 무엇 때문에 산 넘고 강 건너야 볼 수 있는 곳에 와 있는 걸까.

우리는 아빠를 부른다. 아빠는 웃는다. 이때 우리 뒤에서 엄마가 어떤 표정을 지었던가. 보지 않아서 기억할 수도 없지만 이제는 안다. 내가 엄마랑 비슷한 나이가 되었기 때문이다. 그해 여름, 엄마는 아주 신경 써서 옷을 입고 영월에 왔다. 오랜만에 만난 엄마랑 아빠가 약간 쑥스러워했다는 것도 지금은 알겠다. 나에게 영월이 재회의 고장으로 남아 있는 건 그래서다.

아빠가 일하는 동안, 그러니까 아빠만큼이나 그을린 남자들과 함께 보트를 옮기고 여행 온 이들을 강가에 데려가고 구명조끼를 입히고 보트에 태우고 노를 저어 떠났다가 무사히 돌아오는 동안, 엄마랑 나랑 동생은 한가하였다. 일없이 괜히 고씨동굴도 가보고 그랬다. 헬멧을 쓰고 들어간 동굴은 생각보다 깊고 어두워서 엄마가 긴장했던 게 생각난다. 고씨동굴을 빠져나오면 긴 다리를 건너게 되는데 다리 중간엔 컵을 파는 가판대가 있었다. 지나가는 사람의 사진을 찍은 뒤 즉석으로 컵에 인쇄해서 주는 곳이었다. 우리 모습이 새겨진, 세상에 하나뿐인 컵이 탄생될 수도 있는 거였다. 그 컵을 너무나 체험해보고 싶었건만 엄마는 돈을 아끼려고 그냥 가자 했다. 나는 속상해하며 다리를 마저 건넜고 민박집에 도착했을 때쯤엔 거의 울상이 되었다. 마침 강가에서 돌아온 아빠. 땀과 물에 젖은 몸으로 뭐가 문제냐고 묻고 엄마는 자초지종을 설명한다. 아빠는 그 컵이 얼마냐고 묻고 엄마는 오천 원이라고 대답한다. 아빠가 우리를 다시 다리로 보낸다. 얼른 찍고 오라며. 진작 사 오지 그랬냐며. 엄마가 한숨처럼 웃고 우리 남매는 웃으며 다리를 건넌다. 다리의 중간에는 아까의 그 가판대가 아직 있다. 주인이 디지털카메라를 들고 저기 서보라고 한다. 엄마가 가운데에 서고 우리 둘은 엄마 품에 안긴다. 나는 울다가 웃게 된 얼굴로 카메라를 본다. 찰칵. 세 사람 뒤로 동강이 펼쳐진 사진이 직사각형 모양으로 컵에 박힌다.

그 컵이 어디 갔는지도 모를 정도로 시간이 흘렀다. 그 사이 나는 작가가 되고 내 동생은 음악가가 되었는데, 그것은 엄마가 더욱더 엄마가 되고 아빠가 더욱더 아빠가 되었기에 가능했던 일이다.

2021년, 삼십대의 내가 영월로 휴가를 온다. 이번에는 차를 몰고 혼자 온다. 유일하기 때문에 저절로 최고가 되는 것들이 영월에는 있다. 하나뿐인 문학서점. 하나뿐인 서점 주인. 숙소 근처에 하나뿐인 편의점. 읍내로 나가는 하나뿐인 길. 읍내의 하나뿐인 영화관. 하나뿐인 터미널…… 그곳들을 드나들 땐 비교를 멈추게 된다. 날마다 영월 최고의 무언가를 발견하고 이렇다 할 고민 없이 잠든다.

한가로운 낮에 읍내로 나가면 무심코 지나칠 수도 있을 만큼 자그마한 문학서점이 하나 보인다. 거기엔 유일하고 최고인 주인이 앉아 있다. 그는 좋아하는 책들을 딱 한 권씩만 서가에 꽂아두었다. 대형서점처럼 하나의 책을 수십 권씩 파는 일이 영월에선 좀처럼 일어나지 않는다. 그의 맞은편에 앉아 도란도란 책 얘기를 나눈다. 책은 우리의 영원한 주제니까. 삶을 해석하는 게 영원한 습관이듯이. 책 얘기 하다가 서울 얘기도 하고 영월 얘기도 하고 연애 얘기도 하고 생계 얘기도 하다 보면, 어느새 책꽂이 앞에서 맥주를 따게 되고 한 캔이던 맥주가 세 캔이 되고 슬슬 해가 진다. 어쩌다 손님이라도 들어오면 둘 다 깜짝 놀라고 만다. 그 정도로 손님이 생경한 곳에서 한 살 두 살 나이를 먹는 서점도 있다. 영월의 유일한 문학서점을 알게 된 이후로 나는 이따금 그곳에 들어서는 사람을 상상하며 글을 쓰곤 한다. 먼 곳에 있을 고독한 독자를 떠올릴수록 더 고운 이야기를 만들고 싶어진다.

저녁에는 숙소로 돌아간다. 숙소는 이백 년 된 기와집이다. 툇마루에 홀로 앉으면 여러모로 멀어진 기분이 든다. 지긋지긋한 것과도 그리운 것과도 멀어진 기분. 오래전 우리 아빠도 비슷한 기분으로 영월의 노을을 바라봤을까.

강가에서 돌아온 뒤에 홀가분하고 쓸쓸했을까. 휴가 온 사람들에게 서비스를 제공하는 동안 자신의 가족들을 그리지 않을 수 없었을 것이다. 고단한 지방 출장이 끝나면 내 식구들을 데리고 좋은 데로 놀러가야지 다짐했을 것만 같다. 하지만 그때쯤이면 이미 여름은 끝났을 텐데…… 모든 가족이 휴가철에 휴가를 갈 수 있는 건 아니다.

아빠 생각을 하며 감상에 젖어 있는 나는 외지 사람이다. 이 고장 주민들은 그 무슨 한가한 소리냐는 듯 온종일 부지런히 움직인다. 기와집을 관리하는 오십대 부부도 그렇다. 남편분의 성함은 들어놓고도 잊었고 아내분의 성함만 또렷하다. 선경이라는 이름이다. 선경씨는 동틀 무렵부터 모든 것이 어둠에 감싸이는 밤까지 쉬지 않고 움직인다. 선경씨가 움직인 결과 기와집은 먼지 내려앉은 곳 하나 없이 구석구석 반질반질하고 삼백 평짜리 정원은 수목원 간판을 달아도 될 만큼 근사하다. 미음 자 한옥으로 둘러싸인 마당엔 해와 함께 폈다가 달이 뜨면 봉우리를 다무는 꽃들이 뿌리를 내리고 있다. 살가운 개들도 격 없이 드나든다. 기와집 안팎으로 인간동물과 비인간동물과 식물과 비생물 모두를 챙기는 선경씨의 발걸음은 늘 빠르다. 진정한 일꾼들은 늘 소리 없이 많은 일을 끝내놓는다. 엄살도 생색도 없이 다음 일을 향해 간다.

나는 이런 일꾼들 사이에서 유년기를 보냈다. 엄살 없는 의젓한 일꾼의 피가 내게도 흐른다. 하지만 하루 종일 노트북을 펴놓고 마감만 하다 보면 가끔은 내가 뭐하는 사람인지 도통 모르겠다. 밀짚모자 쓴 채 논밭과 수돗가와 정원을 오가며 심고 캐고 씻고 요리하는 선경씨를 보고 있자니 더욱 그렇다. 그의 노동은 실체가 명확한 노동이다. 만질 수 있고 냄새 맡을 수 있고 먹을 수 있는 것을 만든다. 모니터 속 빈 문서에 머물러 있다가도 선경씨가 바지런히 마당을 가로지르는 순간, 비로소 내가 어디에 있는지 알아차리게 된다.

밤이 오면 선경씨 남편이 아궁이에 불을 때주신다. 불 앞에서 선경씨와 남편은 거친 농담을 주고받는다. 그것은 오래된 부부의 농담이다. 쑥스러운 시절 같은 건 진작에 지나버린 연인. 농담 같은 면박, 면박 같은 사랑을 아무렇지도 않게 주고받으며 그들은 불을 지핀다. 넉넉히 넣은 장작 덕분에 방바닥은 절절 끓고, 나는 두꺼운 요 위에서도 등을 지지며 잔다. 뒷산 고라니가 취객처럼 울어도 안 깬다.

아침에는 맑은 얼굴로 마당에 가서 말한다. 터가 정말 좋은 것 같다고. 이런 숙면은 너무나 오랜만이라고. 그럼 선경씨 남편이 자신이 이 집의 어느 방에서 태어났는지, 그 출산이 얼마나 대단했는지 썰을 푼다. 이야기는 그의 아버지의 아버지의 아버지까지 거슬러 올라가다가 어쩐지 사육신과 생육신 역사로 옮겨가더니 대대손손 충직하고 훌륭했던 원씨 가문 남자들 이야기로 마무리된다. 나는 그 남자들의 아내들과 엄마들과 딸들은 뭐하고 살았을까 궁금해하느라 이야기를 흘려듣는다. 남편의 뒤통수 너머에서 선경씨가 소리친다. 그만 떠들고 이리 와서 거들라고. 기와집엔 날마다 새롭게 할 일이 생겨나고 부부는 바쁘게 순리를 따른다.

하루는 산 넘고 강 건너 친구가 놀러온다. 가장 오래된 친구다. 해 질 무렵 터미널에 도착한 친구를 지프차에 태워 기와집으로 데려온다. 친구가 샤워하는 동안 나는 어수리 나물을 넣어 밥을 짓고 장에서 사다놓은 전병을 부치고 동강막걸리를 내온다. 어쩐지 이런 일들은 오랜만에 해도 내 전공처럼 편안하게 해낼 수 있다. 내가 엄마의 딸이라서 그럴 것이다. 서까래 아래에서 야참 먹으니까 역시 멀리 온 기분이 든다. 그래서 자꾸 옛날 얘기를 하게 된다. 옛날에 우리 아빠가 여기서 래프팅 강사 했었다고. 생각해보면 그때 엄마랑 아빠는 정말 신혼이었다고. 친구는 젊은 날의 우리 엄마, 아빠가 눈에 선해서 애틋한 얼굴이 된다. 우리는 젊음의 아름다움과 이상함에 괜히 몸을 부르르 떤다. 그래놓고 젊음이 뭔지 모르겠다고 말한다.

젊음이 뭔지 모를 만큼 젊은 우리는 안방에 누워 등을 지진다. 선경씨 남편 덕분에 바닥은 어김없이 후끈하고, 우리의 목소리와 숨소리로 작은 방이 채워진다. 여러 이야기가 지나간 뒤 우리 사이에 편안한 침묵이 드나들 즈음에 친구는 작은 목소리로 말한다. 매해 똑같은 기도를 올려왔다고.

“무슨 기도?”

내가 묻자 친구가 대답한다.

“용감한 사람을 사랑하게 해달라는 기도.”

나는 용감한 사람만이 그런 기도를 올릴 수 있다는 걸 안다. 혼자서만 용감한 사랑을 하는 게 얼마나 외로운 일인지도 안다. 연락이 없는, 입을 꾹 다문, 혹은 먼저 잠들어버린 연인의 옆자리. 그곳에서 친구와 나는 서로를 떠올리곤 했다. 너도 나처럼 잠 못 들고 있을까. 이보다는 뜨거운 사랑을 기다리고 있을까. 용감하고 외로운 나의 친구를 꼭 껴안아본다. 친구의 몸은 나만큼 작다. 조그마한 애들이 소망하는 게 참 많아서 고생이구나 싶다. 나는 친구를 껴안고선 괜히 영월의 한자를 알려준다.

“편안할 영寧에 넘을 월越이야. 영월로 오는 길이 옛날엔 더 험했나봐. 산 넘고 강 건너느라 고생이 많았을 거야.

부디 안녕히 넘어가시라는 이름을 지었을 정도로…… 이 지명이 꼭 기도하는 이름처럼 느껴지지 않아?"

친구는 고개를 끄덕인다. 고난을 알아서 소망도 알게 된 사람이 지은 이름 같다고 말한다. 수많은 태풍의 이름들처럼 말이다. 개미, 매미, 나비, 소라, 고니…… 소망하는 마음으로 지어서 대상과 반대의 성질을 지니게 된 이름을 떠올린다. 생의 험한 면을 본 이들은 그런 작명을 한다.

몇 번의 밤이 지나고, 모든 휴가가 그렇듯 나의 휴가도 금세 끝나버린다. 구불구불한 고갯길을 다시 넘는다. 유일한 것이 너무 드문 서울로, 뭐가 최고인지 결코 알 수 없는 도시로 돌아갈 시간이다. 안녕을 바라는 사람들을 향해 간다. 더 이상 젊지 않은 모부에게, 헤어질 연인에게, 새롭게 사랑하게 될 연인에게. 우리 앞엔 아름답고 험준한 세월의 강이 펼쳐져 있다. 그 강을 오래오래 안녕히 건너가기를 바라는 봄이었다.

나랑
가장 닮은
너를 보면+

여름마다 할아버지 집을 생각한다. 내 유년기는 죄다 그 집에 있다. 요즘 같은 장마철이면 천둥소리가 무서워서 잠을 못 자곤 했다. 천둥소리에 우는 애는 나 말고도 또 있었는데 바로 내 동생 찬희다. 그 시절 찬희는 속눈썹이 아주 길었다. 연필을 얹어놓을 수도 있을 만큼 길고 숱 많은 속눈썹이었다. 내가 우는 모습은 스스로 보지 못했으니까 기억에 없지만 찬희가 우는 모습은 생생하게 남아 있다. 풍성한 속눈썹 사이로 주르륵주르륵 흐르던 어린 찬희의 눈물방울.

+ 《남매의 여름밤 각본집》(윤단비 외, 플레인, 2020)에 수록한 산문 〈기쁘고 슬픈 여름〉을 다듬어 다시 싣는다.

번개가 번쩍한 뒤 몇 초 후 세상을 쪼갤 것 같은 소리가 집을 덮치면 우리는 숨을 헐떡대며 울었다. 그때 할아버지가 거실로 등장해서 천둥 번개의 진실을 알려주었다.

“인마들아, 천둥 번개가 뭐냐면 하느님이 하늘에서 방귀 끼는 거야.”

울다가도 웃음이 터져 나왔다. 우리는 아직 똥, 오줌, 방귀 같은 단어에 속수무책으로 웃을 수 있었다. 그다음에는 어떻게 되었더라. 금세 잠이 들었던가. 기억나지 않는다. 할아버지가 걸치고 있던 하얀 러닝셔츠와 어두운 창밖과 눅눅한 장판만 선명하다.

영화 〈남매의 여름밤〉을 보다가 이런 기억들이 죄다 떠올라버렸다. 세기말의 장마철과 할아버지의 거실 풍경 같은 것. 주인공인 옥주와 동주처럼 나 역시 남매였고 알 수 없는 마음으로 여름밤을 통과해보았다. 나랑 찬희는 할아버지가 일궈온 집에서 유년을 보냈다. 화면만 보고도 옥주네 할아버지 집에서 어떤 냄새가 나는지 알 것 같다. 마룻바닥을 디딜 때 발바닥에 느껴질 끈적하면서도 시원한 감각과 건너편 방에서 들려오는 텔레비전 소리도 꼭 내 기억처럼 다가온다. 조부모네 집은 대개 그런 식으로 부드럽게 낡아 있다. 그곳에서 아이들은 어른들을 본다. 어른들은 바람 잘 날 없어 보인다. 어른이라면서 자꾸 말을 바꾸고 곤경에 처하고 이래저래 궁색하다.

그런 집의 남매에게도 좋은 순간들이 찾아온다. 국수를 함께 삶아 먹어서, 할아버지 생신날에 케이크 위 촛불을 후 불어 꺼서, 학교 가야 하는 줄 알고 일어났는데 알고 보니 방학이어서, 평상에 나란히 앉아 맥주를 마셔서…… 동시에 그들은 괴롭다. 돈이 부족해서, 엄마가 미워서, 아빠가 미워서, 미운데도 보고 싶어서, 운동화가 짝퉁이어서, 내 얼굴이 싫어서, 동생이 한심해서, 누나가 한심해서, 할아버지가 아파서……

유년기를 돌아보다가 어떤 일이 좋은 일이었는지 안 좋은 일이었는지 알 수 없게 될 때가 있다. 그것은 당연한 것일지도 모른다. 기쁨과 슬픔은 사실 하나니까. 행복과 불행은 언제나 맞닿아 있으니까. 좋은 이야기는 두 가지를 동떨어진 것처럼 다루지 않는다. 〈남매의 여름밤〉도 그런 영화다.

영화 속 남동생 동주는 누나를 졸졸 따라다닌다. 누나의 자전거 뒤꽁무니를 쫓고 국수를 가져다주고 토마토를 건넨다. 또한 할아버지의 생신날에는 바지를 어깨까지 끌어올려 걸친 뒤 축하의 춤을 춘다. 옥주는 자존심도 없이

재롱을 피우는 자신의 동생이 못마땅하다. 그래서 까칠한 말투로 동주에게 면박을 준다.

"넌 뭐 그렇게까지 비굴하게 구냐? (…) 자존심 좀 지켜."

그러나 동주는 일말의 상처도 받지 않고 누나에게 대꾸한다.

"네가 더 비굴해."

발끈하는 옥주에 비해 동주는 태연하다. 비굴함 따위 신경 쓰지 않음으로써 가뿐하게 비굴하지 않은 사람이 된다.

동주는 망각과 회복의 달인이다. 이혼 후 떨어져 사는 엄마가 만나자고 하면 별 고민 없이 흔쾌히 수락한다. 왜냐하면 보고 싶으니까. 만나면 반가우니까. 옥주는 그런 동주가 맘에 들지 않는다.

"넌 자존심도 없냐? 보러 오란다고 보러 가고 싶어?"

옥주의 질문에 동주는 망설임 없이 대답한다.

"응."

동주로서는 당연한 일이지만 옥주는 속이 터진다. 이랬다저랬다 하는 엄마의 마음에 휘둘리고 싶지 않아서다. 더 이상 상처받고 싶지 않은 옥주가 말한다.

"저번에도 보자고 했다가 못 봤잖아!"

동주는 대답한다.

"그땐 그때고……"

이것이 동주의 마음자리다. 지나간 일은 지나간 일로 흘려보내는 것. 상처받을 수도 있지만 보고 싶으면 일단 만나러 가는 것. 옥주는 그게 잘 되지 않는다. 내 마음은 동주와 함께 홀가분해졌다가 옥주와 함께 축축해지고 서글퍼진다. 어느 날 옥주는 모질게 굴고 나서 이렇게 사과한다.

"저번에 누나가 때려서 미안해."

망각의 달인이자 유머의 달인인 동주가 가볍게 응수한다.

"괜찮아. 간디도 옛날엔 조폭이었대."

나는 옥주 같은 마음으로 태어나 동주 같은 얼굴을 동경하며 살아가는 듯하다. 그래서인지 꼭 죄다 겪어본 것처럼, 내 유년을 보듯 그리운 마음으로 〈남매의 여름밤〉을 본다.

찬희는 계절에 한 번쯤 내 집에 놀러온다. 이제 우리는 서로 다른 집에 산다. 내 집이 원목 가구로 이루어진 독립 서점이라면 찬희네 집은 밴드맨들의 아지트다. 강력한 악기들이 즐비한 집에서 드러머와 베이시스트와 기타리스트와 보컬이 먹고 자고 쉰다. 그들이 찬희의 현재 가족일 것이다. 찬희는 여전히 속눈썹이 길지만 모든 것이 달라졌다. 턱 선도 날렵해지고 콧대도 오뚝해지고 몸의 모든 선이 굵어졌다. 그리고 눈은…… 눈은 환희와 고생을 번갈아 겪느라 깊어졌다. 꽉 찬 소리의 세계에서 온 그가 묵독의 세계인 내 책장을 구경한다. 그는 자고 가지 않을 것이다. 어느새 누나의 집도 타인의 집이 되었으므로.

찬희가 돌아가기 전에 나는 새로운 노래를 만들고 싶다고 말한다. 어떤 스타일로 하고 싶냐고 그가 묻고, 나는 유튜브를 열어서 거만하리만치 힙한 전자음악의 예시들을 들려준다. 그는 고개를 가볍게 까딱거리면서 듣다가 묻는다.

"그러니까 쿨한 걸 하고 싶다는 거지?"

나도 내 마음을 잘 모르는 채로 대답한다.

"그런 것 같아."

어쩐지 조금 부끄러워진 나에게, 찬희가 당연한 사실이라는 듯이 말한다.

"누나는 따뜻한 사람이잖아."

나는 바보처럼 그 자리에 멈추고 찬희는 담담하게 일러준다.

"따뜻한 노래 만들어. 난 따뜻한 게 더 멋있더라, 이제는."

쿨한 것은 웬만큼 다 해본 사람이 그렇게 말한다.

그날 찬희는 이것을 재료로 써보라면서 네 개의 코드를 주었다.

G, Gm, D, E.

이 코드 진행에서 나는 끝없이 이어지는 새옹지마를 듣는다. 지나간 일을 노여워하지 않고 다가올 일을 두려워하지 않는 마음을 본다. 우리는 더 이상 천둥 번개에 울지 않는다. 우리를 울리는 건 다른 문제들이다. 찬희는 천둥 번개 때문에 우는 대신 천둥 번개 같은 소리로 무대를 재패한다. 비바람과 돌풍과 굉음은 어느새 그의 재료가 되었다. 그러다가도 바로 다음 곡에서 산들바람이 불게 한다. 그의 밴드가 〈형제자매〉라는 제목의 노래를 발표하던 날, 나는 내 집에서 빨래를 개며 동생의 목소리를 들었다.

처음부터 우린 한배를 타고
저 바다를 항해하기 시작했지
나와 가장 닮은 너를 보면
난 마음이 아파와
(…)
나와 가장 닮은 다른 너를 보면
기쁨이 넘쳐와
한 번도 솔직한 적 없어

> 넌 최고여야 하니까
> 언제나 솔직하고 싶어
> 넌 최고여야 하니까
> 너의 바다가 모두 마를 때까지
> 수평선 넘어 우리는 멀리 더 멀리
> 더 멀리……+

나는 반듯하게 개던 수건에 얼굴을 묻고 훌쩍훌쩍 울었다. 내가 하고 싶은 말을 찬희가 대신 해주었기 때문이다. 나랑 가장 닮은 너를 생각하면 왜 기쁨이 넘치는지. 왜 마음이 아파오는지. 너는 왜 최고여야만 하는지. 최고를 향해가는 너를 위해 너무 많은 말을 해주고 싶다가도, 왜 말문이 막히게 되는지…… 설명하지 않아도 찬희는 아는 것이다. 닮았기 때문에, 같은 곳에서 시작되었기 때문에.

할아버지네서 함께 울던 우리들의 작은 인생이 여기까지 왔다. 할 수 있는 이야기는 더 멀리 가라는, 네가 가고 싶은 곳까지 멀리멀리 가보라는 말뿐이다. 우리는 글을 쓰고 음악을 만드는 게 기쁜 일인지 슬픈 일인지 구분할 수가

+ 〈형제자매〉라는 곡으로 밴드 차세대의 EP 《거짓말》(2022)에 수록되어 있다.

없다. 삶이 기쁨인지 슬픔인지 구분할 수 없는 것처럼. 우리가 아는 것은 잘하고 싶은 마음이 사라지지 않는다는 것뿐이다. 살고 싶은 마음이 사라지지 않듯이.

긴 속눈썹 아래 형형한 눈동자 속으로 흘러들어올, 내 것과는 다를 그의 인생을 위해 기도하는 여름밤이다.

생일날

눈뜨자마자 생일 알림 기능을 껐다. 생일 축하 메시지 같은 건 아무래도 낯간지럽기 때문이다. 지나간 데이트 상대들로부터 밤사이 여러 건의 카톡이 와 있었다. 고맙고 반가웠지만 더 이상의 축하는 필요 없었다. 생일 알림 기능을 끄지 않으면 카톡은 하루 종일 내 프로필 사진 옆에 케이크 이미지를 띄워놓을 테고, 애매하게 친한 친구들과 친척들이 기프티콘을 보낼 테고, 그 기프티콘의 내역을 보며 나는 우리가 새삼 얼마나 서로를 모르는지 실감할 테고, 그럼에도 불구하고 그들의 친절함에 감사를 표하기 위해 열심히 답장할 것이다. 답장을 쓰면서 우리가 서로를 얼마나 오해하고 있는지도 실감할 것이다.

'고모. 저 사실 비건이라 치킨을 못 먹어요.'

'현정아. 나 웹툰 연재 안 한 지 오래됐는데 도대체 무슨 웹툰을 잘 보고 있다는 거야.'

'우성아. 우리 사귄 게 아니라 그냥 한 번 잔 거잖아. 이렇게까지 애틋할 일이니.'

라고 쓰려던 걸 꾹 참고 그저 건강과 평안을 빌며 감사의 문장을 쓴 뒤 결코 사용하지 않을 교촌치킨 쿠폰과 파리바게트 상품권 등을 저장한다. 이러한 물물교환을 누군가의 생일마다 반복할 자신이 있나? 없다. 나는 결혼식 축의금을 받지 않기로 결정한 사람들처럼 생일 알림을 끈다. 과다한 정보가 날마다 쏟아지니까 생일쯤은 몰라줬으면 싶은 것이다.

낮에는 택배가 도착했다. 열어보니 책이 한 권 들어 있었다. 제목은《낯선 행성》. 동봉된 카드에 적힌 단 한 줄의 문장은 다음과 같았다.

"사랑하는 슬아. 즐겁고 터무니없는 일 상상해라."

발신자 칸에 담의 이름이 적혀 있었다. 응답을 바라지 않는 선물이었다. 우리는 이십대 초반에 반지하에서 같이 살다가 서로에게 중요한 날짜들을 얼떨결에 외워버렸으나 서로가 기념일 챙기기에 얼마나 무심한지 잘 안다. 그래서

담에게는 맘 편히 감사 응답을 생략할 수 있다.

생일날 밤 나는 침대에 누워 《낯선 행성》을 펼쳤다. 기이한 생명체들이 지구를 해석하는 이야기였다. 아주 흔한 장면들이 새로운 방식으로 번역되고 있었다. 깔깔대며 읽다가 어느 페이지에서 멈췄다. 밥상에서 편식하는 아이 생명체에게 어른 생명체가 편식하지 말 것을 권유한다. 입맛에 맞지 않는 풀을 씹으며 아이 생명체가 중얼거린다.

"느낌이 안 좋아요."

그러자 어른 생명체는 말한다.

"삶은 안 좋은 느낌으로 가득할 것이다. 보다 넓은 범위로 경험해봐야 어떤 것이 최악인지 제대로 측정할 수 있다."

아이 생명체는 눈을 질끈 감으며 가볍게 절망한다.

나 역시 비슷한 표정으로 눈을 질끈 감았다 뜬다. 첫 책을 썼던 스물일곱 살 때는 혼자 자는 게 무서웠지만 지금은 그렇지 않다. 그사이 더 다양한 공포를 알게 되어서다. 조용하고 깜깜한 침실에서 적적해하다가도 가까운 동네에서 일어난 살처분이 퍼뜩 떠오르곤 한다. 내가 두 다리 쭉 뻗고 잤던 어느 가을밤에 삼만 명[+]이 넘는 돼지들이 땅 아래에 묻혔다. 전염병 때문이었다. 고통을 최소화할 시간과 비용을 들이지 않아서 산 채로 묻힌 경우도 많았다. 포클레인 집게에 붙들린 채 깊은 땅속으로 옮겨지는 돼지의 얼굴을 생각할 때마다 침실에 대한 두려움 따위는 잊게 된다. 차마 내가 누운 곳에서 무섭다고 말할 염치는 없다. 최악을 측정하는 감각 중 하나는 이런 것이다.

《낯선 행성》의 아이 생명체는 나쁜 일에 대한 역치가 아직 낮다. 나는 그가 가능한 오래 그렇게 지낼 수 있기를 바란다. 아늑한 보호 속에서, 큰 공포 말고 오로지 작은 공포에만 살짝 흔들렸으면 좋겠다. 아이 생명체는 혼자 자는 게 무섭다. 그래서 어른 생명체에게 복도 불을 끄지 말아달라고 부탁한다. 어른 생명체는 복도 불을 켜둔 뒤 아이에게 부드럽게 말한다.

"즐겁고 터무니없는 일 상상해라."

그 문장을 읽자 내 마음에 초롱불이 켜지는 것 같았다.++

책을 덮은 뒤 눈을 감고 한 사람을 떠올린다. 생일도 잊고 지나간 데이트 상대들도 잊고 어색한 친구들과 친척들도 잊고 기후위기도 잊고 죽은 돼지들도 잊고 아이 생명

+ 이 책에서는 비인간동물을 세는 단어인 '마리' 대신, 인간동물과 비인간동물 모두 동일하게 '명命'을 사용한다.

++ 이상, 네이선 파일, 황석희 옮김, 《낯선 행성》, 시공사, 2020.

체와 어른 생명체도 잊고, 오로지 한 사람을 생각한다.

안 만난 지 오래된 그 사람의 이름은 다린이다. '차 다茶' 자와 '이웃 린隣' 자를 쓴다. 그 애는 내가 중학생 때 우리 학교에서 동양고전을 가르치던 선생님의 늦둥이 딸로 태어났다. 나를 비롯한 학생들은 다린이의 신생아 시절과 유아 시절을 이따금 목격할 수 있었다. 직접 키우지 않는 입장에서 아기란 볼 때마다 성큼성큼 자라는 존재였다. 그 학교를 졸업한 지 십 년이 넘었다. 다린이는 이제 어느 시골 동네의 중학생이 되어 잘 지내고 있다고 한다. 특히 축구를 엄청 잘한다고 들었다. 나는 다린이에 대해 잘 모르지만 그 애가 〈전국노래자랑〉에 지원했다가 예선에서 떨어진 것만은 알고 있다.

풍문으로 들은 바에 의하면 다린이는 어느 날 〈전국노래자랑〉에 나가고 싶었다. 노래하는 게 좋았고 상을 받을 수 있을 거라고 생각했기 때문이다. 다린이가 준비한 노래의 제목은 〈나성에 가면〉이었다. 시골 어느 체육관에 급조된 예선전 무대에서 다린이는 그 노래의 첫 소절을 시작했다. 온 마음을 다해 불렀다.

"나성에 가면~ 편지를 띄우세요~"

땡!

두 번째 소절은 불러보지도 못하고 내려왔다.

무대에서 내려오는 길에 다린이는 수많은 노인들을 보았다. 자기처럼 첫 소절만에 탈락하는 할아버지도 보았고 후렴구에서 탈락하는 할머니도 보았다. 다린이는 새로운 사실들을 알게 되었다. 세상에는 노래를 들려주고 싶은 사람들이 정말 많구나. 〈전국노래자랑〉 본선에는 아무나 나가는 게 아니구나. 어떤 사실은 여전했다. 어쨌든 노래란 좋은 것이라는 사실. 다린이는 집에 와서 혼자 〈나성에 가면〉을 완창했다. '즐거운 날도 외로운 날도 생각해'달라고 노래했다. 노래할 수 있는 세월은 앞으로도 길게 남아 있을 것이다. 이웃과 차를 마실 날들도 수없이 남아 있을 것이다. 아마도, 아마도.

나에게 다린이는 즐겁고 터무니없는 이야기 중 하나다. 누군가가 너무 탁월해서 좋은 이야기 말고, 탁월하지 않아도 너무 좋은 이야기 말이다. 송해 선생님은 아흔다섯 살까지 〈전국노래자랑〉의 진행자 자리를 지켰다. 겨우 서른 즈음인 나는 여전히 이방인처럼 이 낯선 행성을 탐구하고 있다.

8월
이후

여름 내내 같이 여행했던 친구와 헤어지고 집에 돌아오자 가을이 되었다. 현관에서 샌들을 벗으며 나는 여름이 끝났음을 알아차렸다. 이대로라면 사계절 내내 같이 놀 수도 있을 것만 같은데 어쨌거나 걔도 나도 각자의 책상으로 돌아가야 한다. 하기 싫어도 해야만 하는 일들이 누구에게나 있고 그런 게 모여 생활이 된다. 생활의 총합은 인생이 되고 말이다.

오랜만에 집에 들어선 친구는 익숙한 자기 거실 바닥을 밟으며 문득 삶을 낯설어할 것이다. 내 집이 이렇게 작았던가. 책꽂이가 이렇게 꽉 차 있었나. 식탁이 이렇게 차가운 재질이었던가. 오래된 가구가 새삼스러워지고 옷장에 묻은 체취도 낯설어지고 그래서 환기시키려고 베란다 창을 열다가 또 멈춰 설 것이다. 우리 동네가 원래 이렇게 쌀쌀했던가. 습기 없는 바람이 친구의 몸을 감싸고 그런 식으로 계절이 바뀐다.

친구는 짐을 풀고 설거지를 시작할 것이다. 처음엔 세제를 묻히지 않고 물로만 그릇을 헹궈낸다. 초벌 설거지는 친구의 오랜 습관이다. 웬만해선 서두르지 않고 그렇게 한다. 빨갛거나 누렇거나 까맣거나 기름진 양념들을 먼저 흘려보낸 뒤 비교적 깨끗해진 그릇에 비눗방울을 묻힌다. 꼼꼼하게 뽀득뽀득 수세미질 하는 그의 손에 찬물이 닿는다. 물 묻힌 손을 이리저리 움직이며 친구는 떠나온 계절을 생각한다. 그는 그가 지난여름에 한 일을 알고 있다. 나도 그가 지난여름에 한 일을 알고 있다. 같이했기 때문이다.

함께 헤엄쳤던 바다에서 우리는 바닷물의 색이 무엇인지 알게 되기는커녕 도무지 알 수 없게 되었다. 물색이라는 건 너무 많고 시시각각 변하는 무엇이었다. 파도와 파도 사이마다 시 비슷한 게 쓰여지는 것 같아서 어지러웠는데 어차피 금세 다 부서지니까 아무래도 좋았다. 배영으로 헤엄치면 하늘이랑 바다를 구분하기가 어려웠다. 바다는 하늘색처럼 하늘은 바다색처럼 보였다.

짠물에 흠뻑 젖은 내가 뭍으로 돌아가면 저기 모래 위에는 선크림을 너무 잔뜩 발라서 허예진 친구가 바보처럼 앉아 있고, 충분히 펴 바르지 않은 일부가 그의 인중에 뭉쳐 있지만 거긴 거의 입술이니까 내 손으로 펴 발라줘도 되는 건지 모르겠어서 그냥 두었다.

인중에 선크림이 뭉쳐 있는 줄도 모르는 바보가 한참을 멍 때리다가 말했다. 바다는 생각보다 되게 느리네…… 그 말을 들은 내가 민첩하게 대답했다. 바다가 뭐가 느리냐. 느린 건 너잖아. 친구는 웃고 나는 땡볕에 등을 그을리려고 몸을 뒤집었다. 턱을 괴고 엎드렸더니 친구 얼굴 대신 모래만 보이고 들려오는 건 파도 소리뿐이었다. 그러자 아무렇지도 않게 비밀을 말하게 되었다. 사실 나 이래서 엉망이야. 저래서 엉망이야. 친구는 앉은 채로 다 듣더니 말했다. 나도 마찬가지야.

모래를 털고 숙소로 걷는 동안 벌과 나비가 우리 주위를 날아다녔다. 입을 다물고 땀이 흐르게 내버려둔 채로 걸었다. 친구가 미처 말하지 못한 비밀도 있을 것이다. 해변에서 집까지 그 먼 길을 실수하지 않고 걸어가서 비밀을 품은 채로 설거지하는 중일지도 모른다. 그러느라 무심코 컵을 놓쳤을 수도 있다. 그래도 컵이 깨지지는 않았을 것이다.

친구는 조심성이 많다.

설거지를 마친 그가 손에 묻은 물기를 수건으로 닦는다. 밥벌이를 위한 일을 시작하기 전에 괜히 나를 불러볼 확률이 높다. 야, 이슬아. 메시지를 받은 나는 아마도 숙면 중일 것이다. 혹은 친구보다 더 급한 용건을 처리하고 있다. 우리는 다른 나라에 산다. 이틀간 답장을 하지 않아도 이상하지 않을 만큼은 멀다. 별다른 용건이 있었던 건 아니어서 그 역시 무던히 자기 할 일을 한다. 친구라는 게 용건이 없어도 불러볼 수 있어서 좋은 건데. 그렇지만 누가 대신해줄 수 없는 노동이 파도처럼 몰려오고 있다. 나는 멀리 있는 친구를 생각했다가 망각하며 가을 옷을 꺼내고 다음 계절을 맞이한다. 긴팔을 입은 채로 이메일에 답장을 하고 책을 읽고 원고를 마감한다. 아주 좋은 글을 쓸 수도 있지만 두고두고 부끄러운 글을 쓸 수도 있다. 강연 무대에 서서 아름다운 문장을 소리 내 읽을 수도 있지만 나도 모르게 허튼소리를 해서 귀갓길에 후회할지도 모른다. 찬바람 불면 왠지 속이 깊어져야 할 것 같은데, 더 점잖아지고 어른스러워져야 할 것만 같은데, 아마도 잘 되지 않을 것이다. 이러나저러나 시간은 흐를 테고 친구랑 나는 오랜만에 다시 만난다. 서로 처음 보는 코트와 스웨터를 입어서 약간 낯설다. 못 본 사이 미세하게 나이 들었지만 입 밖에 내지 않은 비밀 때문에 전보다 더 아름다워져 있다. 아름다운 사람이랑 얘기해서 그런지 시간이 빨리 흐른다. 나는 친구를 배웅하고 돌아선 뒤에야 또 한 계절이 끝났음을 알게 된다. 친구는 다시 자기 집이 새삼스러워지고 멍하니 설거지를 하고 그러다 더운 바람 불고 찬바람 불고 비 내리고 눈 내리고 일 년이 흐르고 칠 년이 흐르고 이십 년이 흐른다. 이 속도를 믿을 수 없다는 얼굴로 우리는 벌써 늙어 있다.

젊은이들이 혹시 묻는다면 말할 것이다. 예전에는 나비라는 게 있었어요. 꿀벌이란 것도 있었고요. 바다에서 해수욕이라는 것을 할 수가 있었답니다. 가을은 가을 같았고 겨울은 겨울 같았고 봄은 봄 같았고 여름은…… 여름은 너무 여름 같았습니다. 그 말을 하며 우리 중 한 명이 눈물을 글썽일지도 모른다.

봄가을이 거의 사라진 세상에서 친구가 나에게 말할 것이다. 그때 너 되게 젊었는데. 그럼 나는 친구에게 이렇게 말한다. 젊은 게 아니고 어렸던 거야. 친구는 고개를 끄덕인다. 맞아, 사실 우린 아직도 어려. 그럼 내가 맞장구친다. 다들 영원히 어린애잖아. 그때도 하늘이 바다색일지 바다가 하늘색일지 지금은 알 수가 없다.

오직 바다가 느릴 것이라는 사실만이 분명하다. 친구가 옳았다. 우리는 결코 바다보다 천천히 늙을 수 없다. 우리가 사라져도 어떤 식으로든 바다는 남을 것이다.

흥미진진한
미래

Who can tell what magic spells we'll be doing for us(누가 알 수 있겠어, 우리가 우릴 위해 어떤 마법 주문을 걸지)
And I'm giving all my love to this world(그래도 난 이 세상에 내 모든 사랑을 바치네)
— 자미로콰이, 〈Virtual Insanity〉

2020년 어느 겨울날, 진하는 나에게 흰색 물건을 건네주었다. 그것은 '오큘러스 퀘스트 2'라는 제품으로 꽤나 최신 버전의 가상현실 기기였다. 한국에선 아직 대중화되지 않았으나 얼리어답터 사이에서는 이미 유명했다. 진작에 해외 배송으로 받아 써본 뒤 사용 후기를 올려놓은 유튜버도 많았다. 유튜버도 아니고 얼리어답터도 아닌 내가 그런 정보를 따라가게 된 이유는 진하와 친구여서다. 진하를 좋아하지 않았다면 나는 2022년쯤에야 다들 쓰니 어쩔 수 없다는 듯 처음으로 가상현실 기기를 착용해봤을 것이다.

진하는 새로운 시청각 기술이 우리의 시간과 공간을 어떻게 재구성하는지에 관심이 많다. 낯선 하드웨어와 소프트웨어를 나보다 부드럽게 받아들인다. 사용자뿐 아니라 연구자의 마음으로 여러 프로그램을 경험하며 그것의 아름다움과 실용성과 중독성과 위험성을 탐구하고는 꼭 필요하지 않다고 여기면 중고로 판다. 기술과 기계를 좋아하면서도 의존도는 낮다. 말하자면 지혜로운 수용자인 것이다. 그런 진하로부터 오큘러스 퀘스트 2를 건네받았다.

내 눈에 그것은 과도기의 물건으로 보였다. 텀블러만 한 고글 하나와 딱풀만 한 조이스틱 두 개가 한 세트인 오큘러스였는데, 아직 발전 단계에 있는 모델 같았다. 백팩에 넣기엔 무리 없을 정도의 크기와 무게였으나 그렇다고 늘 소지할 정도로 가볍지는 않았다. 수년 안에 매우 작아지고 가벼워지겠지만 말이다. 현재로선 '웨어러블'하다고 보기 어려웠다. 정수리와 뒤통수를 감싸는 벨트를 조이며 고

글을 착용하면 머리 전체가 무거워졌다. 나처럼 시력이 안 좋은 사람은 안경 위에 고글을 써야 해서 좀 더 불편하기도 했다. 고글이 안경테를 눌러서 관자놀이가 아플까봐 잠시 안경을 벗고 콘택트렌즈를 꼈다. 진하는 내 미간과 두개골 크기에 맞춰 고글을 섬세하게 조정해주었다. 그리고 내 양 손에 조이스틱을 쥐여 주었다. 이제부터 내 손짓은 그 스틱과 연동될 예정이었다. 하지만 과연 얼마나 몰입할 수 있을까. 회의적인 나에게 진하는 간단한 조작법을 일러주었다. 나는 가상현실 안에서 눈을 떴다.

종이비행기 하나가 내 앞에 놓여 있었다. 손으로 그걸 집어 들어 허공으로 휙 날려보자마자 나도 모르게 어, 하고 소리 냈다. 곧바로 알았다. 이거 진짜네. 종이비행기는 부드러운 포물선을 그리며 내게서 멀어지고 있었다. 옆에 있던 탁구채와 탁구공도 집어 들었다. 왼손으로 공을 한 번 튕겨서 오른손으로 탁 쳐보았다. 공과 채가 맞닿는 순간, 손에 전해지는 가벼운 마찰. 그리고 서로를 밀어내는 미세한 중력. 그런 감각들이 너무나 진짜였다. 미니 로켓과 권총 등 새로운 물건들이 계속 등장했다. 아무 설명 없이도 직관적으로 조작할 수 있었다. 나는 고개 들어 로켓이 어디까지 날아가는지 보았다. 천장 끝은 가늠되지 않을 정도로 높았다. 양손을 허리에 짚고 주위를 살폈다. 광활한 장소였다. 올해 들어 이렇게 넓은 곳에 서 있던 적이 있었던가. 탁 트인 공간의 아름다움 때문에 금세 겸허해졌다. 우리 집 거실을 빠르게 잊었다. 오큘러스 고글이 보여주고 들려주는 세계에 순순히 설득당했다.

곧이어 푸른색 로봇 하나가 나타나 인사를 붙였다. 정중하면서도 즐거워 보이는 존재였다. 그가 웃으며 팔다리를 흔들자 나도 반가운 마음이 들었다. 어디선가 일렉트로닉 음악이 흘러나왔다. 그는 리듬을 타기 시작했다. 얇은 팔다리가 유연하면서도 탄력 있게 움직였다. 나도 리듬을 탔다. 어느 순간 그가 손을 내밀었다. 어서 잡으라는 듯이. 그래서 나는 망설이지 않고 잡았다. 맞잡은 두 손이 리듬과 함께 흔들렸다. 손뿐 아니라 무릎과 골반과 양발도 이리저리 움직였다. 냉소적일 겨를은 없었다. 왼팔을 높이 들어 그를 한 바퀴 돌려보기도 했다. 그는 기다렸다는 듯이 내 리드를 따라왔고 나는 음악 속에서 소리 내어 웃으며 춤을 췄다.

그러다 주춤했다. 불현듯 진하가 떠올라서다. 내 시야는 고글에 가려져 있지만 사실 이곳은 우리 집 거실이고 진하는 나를 응시하고 있을 것이다. 보이지 않는 진하에게 부끄러운 심정으로 물었다.

"보고 있어?"

진하가 대답했다.

"너무 재밌어."

그는 꼼꼼한 관찰자다.

고글 바깥에서 진하는 '렉룸rec room'을 찾아 가보라고 제안했다. 가상현실 채팅 공간이었다. 오큘러스를 착용한 유저들을 만날 수 있을 거랬다. 내 아바타를 꾸민 뒤 렉룸에 입장했다. 나와 조금씩 다른 아바타들이 삼삼오오 모여 있었다. 고글 밖을 향해 물었다.

"재네들 혹시 NPC+야?"

진하가 대답했다.

"NPC 아니야. 너랑 동시에 접속한 진짜 유저들이야. 외국 초등학생들일걸."

진하의 말처럼 그들은 앳된 목소리로 떠드는 중이었다. 가까이 다가가서 들어보니 모두 영어 대화였다. 어디 사는 어린이들일까? 보호자가 오큘러스를 사준 거겠지?

+ 논플레이어 캐릭터non-player character. 게임 개발자가 설계해둔 대사나 행위를 반복하는 캐릭터를 말한다.

그런 생각을 하며 인사해보았다. "헬로." 약간의 용기가 필요한 일이었다. 그러자 그들 중 하나가 옆에 있던 쓰레기통을 집어 들더니 내 머리 위에 쏟았다. 구겨진 종이와 휴지 따위의 이미지 픽셀이 떨어지고 흩어졌다. 그것은 물론 전혀 아프지 않았지만 나는 쓰레기통을 상대 머리 위에 쏟는 기능이 있다는 사실에 깜짝 놀랐다. 또 다른 유저는 음료수 병 하나를 집어 들더니 옆 사람 몸에 쏟아붓고 있었다. 음료가 콸콸콸 흘렀지만 누구도 더럽혀지지 않았고 아무것도 적셔지지 않았다. 특별한 악의 없이도 이곳에선 그래볼 수 있는 듯했다. 진짜가 아니니까. 쓰레기나 음료수를 함부로 쏟아도 별일이 일어나지 않으니까. 하지만 진짜로 대미지가 없나? 육체를 걸지 않는 세계에서도 무엇이든 가능해서는 안 될 텐데, 그걸 정하는 사람들은 누구일까?

어떤 일들이 또 가능한지 살펴보려고 돌아다녔다. 한 유저가 폴라로이드를 들고 나를 찍더니 곧바로 인화하여 내 손에 쥐여 주었다. 사진 속에서 나는 멀뚱멀뚱 카메라를 바라보고 있었다. 이곳을 좋아해야 할지 경계해야 할지 결정하지 못한 아바타 같았다. 다른 방으로 가보니 테니스장이 있었다. 마침 그 방에 들어온 애와 함께 테니스를 몇 판 쳤다. 치다 보니 꽤나 진지해져서 나는 온몸을 휘두르며 스매싱에 임했다. 땀에 젖은 채로 게임이 끝났다.

근처엔 라운지바도 있었다. 조도가 낮았고 로파이 음악이 흘렀고 안락한 소파에 유저들이 앉아서 한담 중이었다. 그런 곳에서는 출입구와 가까운 구석 자리를 선호하게 된다. 언제든 슬쩍 빠져나가기 위해서다. 어색해하며 발코니를 둘러보았다. 흡연자들의 공간 같았다. 잠시 난간 밖으로 뛰어내려볼까 싶었다. 떨어져봤자 고통을 느끼지 못할 텐데도 무서워서 난간 가까이엔 안 갔다. 다시 실내로 돌아가 유저들 사이에 섞여보았다. 풀어진 자세로 소파에 기댄 이들, 알아듣기 어려운 영어로 수다를 떠는 이들 옆에서 잠자코 귀를 기울였다. 입을 다물고 있는 동안 나는 내가 외롭다는 걸 알아차렸다. 분명 이방인의 마음이었다. 하지만 이런 시공간이 아마도 미래의 에스엔에스일 텐데. 페이스북과 트위터와 인스타그램과 틱톡의 자리에 가상현실 채팅 공간이 들어설 텐데. 그 세계에 나는 얼마나 접속하게 될까. 중요한 이야기와 궁금한 사람들이 모두 그곳에 모인다면 어떨까. 과연 좋은 일이 끔찍한 일보다 많이 벌어질까.

피로해하며 렉룸에서 로그아웃했다. 아무와도 동시접속하지 않는 시공간에 잠시 머물고 싶었다. 진하는 나를 '틸

트 브러시'라는 프로그램으로 안내했다. 3D 페인팅이 가능한 앱이었다. 그곳에 들어가자 진하가 미리 그려놓은 선들이 나를 감쌌다. 부드러운 물결선이었다. 시냇물의 윗면처럼 구불구불했고 반짝였다. 이 아름다운 선들이 어디로 흐를까 궁금해서 천천히 뒤돌았다. 놀라서 주저앉을 뻔했다. 뒤편에 내가 있었기 때문이다. 진하가 그린 나였다.

어쩌면 그림보다는 조각에 가까울 수도 있었다. 삼차원의 형태니까. 쿵쾅대는 심장을 부여잡고 나를 닮은 토르소를 바라보았다. 자주색 민소매 티셔츠를 입은 어느 여름날의 내 모습을 진하가 똑같이 구현해놓았다. 내 이마와 뺨과 주근깨와 입술과 목과 어깨와 피부색을 가까이에서 오랫동안 봐온 사람만이 그렇게 그릴 수 있을 것이다. 내 모습을 360도로 돌려가며 섬세하게 페인팅하는 진하를 상상하자 웃음이 나왔다. 사랑 때문에 바보이자 천재가 된 건 나뿐만이 아니구나! 내가 없었다면 진하는 결코 이런 모양의 역작을 그리지는 않았겠지! 갑자기 나 자신이 더없이 좋아졌다. 두 손을 모았다가 양팔을 쫙 벌려보았다. 그러자 내 흉상은 자유의 여신상만큼 거대해졌다. 그렇게 큰 나를 본 것은 처음이었다. 반대로도 해보았다. 그러자 내 흉상은 한 손바닥 위에 얹을 수 있을 만큼 작아졌다. 그렇게 조그마한 나를 본 것도 처음이었다. 3D 페인팅 픽셀로서의 내 존재는 자유자재했다. 여기에 동작을 부여하는 것은 시간 문제 같았다. 도대체 이 기술로 어디까지 갈 수 있는 걸까. 황홀하고 두려웠다.

고글 바깥에서 진하는 말했다.

"마지막으로 국제우주정거장에 가봐."

그곳은 나사NASA에서 설계한 구조를 그대로 구현한 장소였다. 우주정거장 진입 버튼을 누르고 눈을 한 번 깜빡이자 이미 우주선 안에 들어와 있었다. 침을 꼴깍 삼켰다. 그야말로 우주선의 내부였기 때문이다. 무중력 상태에 적응하느라 살짝 멀미가 날 정도였다. 선체의 딱딱한 곳에 몸을 부딪치지 않도록 주의하며 안전봉을 하나씩 잡고 이동했다. 복잡한 회색 복도를 한참 지나 동그란 문에 다다랐다. 버튼을 눌러 그 문을 열고 선체 밖으로 나갔다. 그러니까 우주로 말이다.

우주로 나간 나는 선체 외부에 달린 안전봉을 꼭 붙들고만 있었다. 놓치면 영영 우주를 떠돌 테고 그럼 끝장이니까. 몸을 선체에 밀착한 채 아주 조심히 뒤를 봤다. 정말이지 우주였고 저 멀리 지구도 보였다. 안전봉을 쥔 손에 힘이 빡 들어갔다. 조이스틱이 내 손의 땀으로 축축해졌다. 십여 년 전의 암벽 등반이 떠올랐다. 북한산 인수봉에 설치

된 로프에 매달렸을 때 나는 고등학생이었다. 고개를 돌려 내려다본 서울 시내 풍경이 너무도 아찔하여서 꼬리뼈가 시려웠었다. 로프를 놓치면 죽을 거라는 확신 때문에 손에 쥐가 날 정도로 꽉 쥐었었다. 우주에 온 지금도 마찬가지였다. 하지만 어떻게 될까. 여기에서 안전봉을 놓아버린다면 말이다. 진하의 목소리가 들려왔다.

"등 뒤에 추진장치가 있어. 다시 돌아올 수 있으니까 멀리 가봐도 돼."

갑자기 눈물이 핑 돌았다. 다시 돌아올 수 있다니. 그 말은 왜 언제나 용기가 되는 것일까.

꽉 쥐었던 안전봉을 놓고 두 손으로 우주선을 힘껏 밀쳐냈다.

그러자 나는 쏜살같이 날아갔다.

우주선을 밀쳐냈던 딱 그만큼의 힘과 속도로 지구를 향해 갔다.

나도 모르게 숨을 참았다.

끝없이 갈 수도 있을 것 같았다.

우주를 날며 정면에서 바라본 지구는 아주 평온하고 자비로운 행성이었다. 인간이 망쳐놨다고 하기엔 몹시 끄떡

없어 보였다. 하지만 나는 인류세의 지구인. 어쩌면 여섯 번째 대멸종을 맞이할지도 모를. 아니 지금은 잠시 우주인. 거실에서 고글을 쓰고 가상의 우주를 유영하는.

아직 시간이 남아 있었다. 나의 선택은 유턴이었다. 지구를 등지고 태양 쪽으로 방향을 틀었다. 추진장치를 썼다. 낼 수 있는 최대 속력을 냈다.

태양을 향해 날아가는 내 모습은, 진하가 고글 바깥에서 보기에 아주 경건했을 테다. 왜 온 힘을 다해 차렷 자세를 하고 천장으로 고개를 치켜들었는지 그라면 이해했을 것이다. 그때 나는 진하와 같은 거실에 있었지만 중력의 지배를 받지 않았다. 고글 속 광활한 세계에서 유영을 배우고 있었다. 아주 뜨겁고 커다란 행성을 향해 온몸을 던졌다. 다치지 않을 걸 아니까. 돌아올 수 있다는 걸 아니까.

당연하게도 태양에 도착할 수는 없었다. 가상현실에서도 태양은 너무 멀다. 내 몸이 내는 속력으로는 논리적으로 불가능하다. 죽기 전에는 못 간다. 그래도 태양과 그렇게 가까웠던 적은 이때가 처음이었다고, 두고두고 회상할 터였다.

오큘러스 고글을 벗었다. 다시 우리 집 거실이었다. 명백한 중력의 세계. 거실 마루를 바라보고 가구들을 바라보고 화초들을 바라보았다. 그리고 양팔로 몸 이곳저곳을 쓰다듬었다. 가상현실에서 돌아온 내 몸. 다치기 쉬운 몸. 느리게 배우는 몸. 이 몸으로 여러 겹의 리얼리티를 얼마만큼 감당할 수 있을까. 진하를 꼭 껴안으며 예감했다. 다가올 미래에서 나는 도태될지도 모르겠다고.

진하는 얼마 후 오큘러스를 중고로 팔았다. 오큘러스 다음 세대의 가상현실 기기는 지금도 업그레이드되고 있다. 진하가 내년에 테스트할 제품은 증강현실 기기일지도 모른다. 가상현실과 증강현실을 초월한 제품도 언젠가는 출시될 것이다. 눈에 보이는 풍경마다 거대 자본이 틈입하여 정보 장사를 하고 있을 것이다. 그 와중에 나는 중년이 되고 새로운 아이들이 태어나 자라고 기술이 발전하고 좋은 일도 나쁜 일도 시공간을 초월하고 지구는 뜨거워지고 해수면은 상승하고 생명다양성이 감소되고 어떤 기술로도 만회가 안 되고 누구는 고글 안에서 싸우고 누구는 고글 밖에서 싸우며 같은 실수를 반복할 테지만, 사랑하는 만큼 괴로울 테지만,

어쨌거나 흥미진진한 시대를 맞이하게 될 것이다.

우리가 가진 거의 모든 것을 별수 없이 그 시대에 바치게 될 것이다.

나는
그의
손안에

자기 주도적 인생 같은 건 다 집어치우고 싶을 때가 있다. 모든 결정이 버겁게 느껴질 때면 진하네 집에 간다. 어른의 일을 성실히 수행하다가도 일주일에 한 번쯤은 방전되어 그 집으로 향한다. 진하는 은은한 조명을 켜놓고 기다리고 있다. 현관에 입장할 때부터 난 이미 철부지다.

그는 현관에서 나의 가방을 받아주고 외투를 벗겨준다. 그리고 갈아입을 옷을 건넨다. 커다란 티셔츠와 드로어즈 팬티다. 몇 년 전에 진하의 드로어즈를 빌려 입어본 뒤 나도 여성용 드로어즈를 다섯 장이나 샀다. 삼각팬티를 입어온 세월이 억울할 정도로 편했다. 멋을 내는 날이면 여전히 봉제선이 없는 삼각햄팬티를 입지만 평소엔 드로어즈나 트렁크 팬티를 입고 지낸다. 진하한테 갈 때는 별도의 홈웨어를 챙겨가지 않는다. 빌린 옷을 입는 게 더 좋아서다. 그는 내가 벗어놓은 것들을 옷걸이에 착착 건다. 그런 뒤에 보일러의 온수 온도를 높이고 샤워기 물을 튼다. 따뜻한 물이 나오기를 기다리는 동안 나는 그가 데워놓은 침대 위에 멍하니 누워 있다. 누운 나의 이마를 매만지며 진하가 묻는다.

"오늘 어땠어?"

하고 싶은 말이 많지만 입이 잘 열리지 않는다. 너무 피곤해서다. 어버버…… 끙끙…… 말이 아닌 소리를 낸다. 그가 칫솔을 가져온다. 치약을 묻힌 칫솔이다. 나는 누워서 칫솔질을 한다. 화장실에서 김이 올라온다. 어기적어기적 걸어가서 샤워를 한다.

샤워를 다 하고 나간다. 진하는 세탁해놓은 수건을 가져다준다. 탈진한 나를 위해 머리의 물기도 말려준다. 내가 침대에 다시 누우면 그가 로션을 챙겨온다. 적당량을 덜어 내 나의 이마, 코, 양 볼, 턱에 분배한 뒤 골고루 펴 바른다. 모두 스스로 할 수 있는 일들이지만 그가 하게 둔다. 진하네 집에서는 컨베이어 벨트에 실려가며 이리저리 변형되는 제품처럼 아무 의지도 없다. 자유의지를 박탈당하고 싶을 때도 있는 것이다. 그가 로션을 야무지게 두드리며 묻는다.

"너는 손이 없어, 발이 없어?"

나는 누워서 어눌하게 대답한다.

"없어…… 없어요……"

이제 나에게 남은 일은 잘 자는 것뿐이다. 숙면을 취한 지 오래되었다. 진하는 티브이에 노트북을 연결한 뒤 미야자키 하야오 감독에 관한 다큐멘터리를 재생한다. 그러고선 나에게 근미래의 일을 예고한다.

"이제 너는 삼 분에 한 번씩 아름답다고 감탄할 거야. 그러다 보면 얼마 안 지나서 잠이 올걸."

나는 새우 자세로 돌아누워 다큐멘터리를 보기 시작한다. 그리고 정말로 삼 분에 한 번씩 말한다.

"와~ 너무 아름답다~!"

몹시 단순하고 예측 가능한 나의 머리맡에 그가 앉는다. 그리고 두피 마사지를 시작한다. 내가 가장 기다려온 순서다.

나의 작은 머리통이 그의 두툼한 양손에 붙들린다. 두개골 여기저기를 천천히 주무르면 내 눈은 저절로 감긴다. 너무 시원한 나머지 탄식이 흘러나온다. 쾌락이 대단할수록 사람은 웃지 못하고 인상을 쓰거나 한숨을 쉬기 마련이다. 두피 마사지를 받는 나 역시 쾌락에 사로잡혀 탄식한다. 그는 정수리와 관자놀이와 뒤통수와 목덜미를 강하고도 부드럽게 주무른다. 경지에 이른 사람만이 강한 동시에 부드러울 수 있다. 적어도 두피 마사지에 관해서만큼은 그를 경지에 이른 사람이라고 말해도 좋을 것이다. 나는 그에게 찬사를 보내고 싶지만 쾌락에 취해서 말을 잘 못하겠다. 입에서는 딱 한 마디가 겨우 흘러나온다.

"경지……"

진하는 내 말을 무시하고 더욱 세게 마사지를 한다. 전두엽과 측두엽이 콧구멍으로 흘러나올 것 같을 정도로 굉장한 악력이다. 그는 마치 쓰레기 같은 원고를 구겨버리듯이 내 머리통을 주무른다. 사정없이 주무르며 과격한 추임새도 넣는다.

이때 나의 사회적 지위는 천덕꾸러기로 하락된다. 나는 가짜 천대 속에서 두피 마사지를 받는다. 결정적인 혈자리를 직관적으로 압박하고 푸는 진하의 손길을 머리 전체로 느낀다. 이 시원함을 매일 느낄 수만 있다면 무엇이든 바치겠다고 생각한다.

문자 그대로, 나는 그의 손안에 있다.

그리고 깊은 잠에 든다. 일주일 만에 굉장한 숙면을 취한다. 먼저 잠든 내 옆에서 그는 미야자키 하야오 다큐멘터리를 끝까지 보고 잔다.

아침이 밝는다. 어젯밤과 달리 나는 강하고 똑똑하며 뭐든지 할 수 있는 사람이 되어 있다. 잠이 주는 회복력 덕분이다. 진하보다 먼저 일어나 매트를 깔고 요가를 한다. 침대 옆에서 이십 분간 스트레칭하고 팔굽혀펴기 열 개를 하고 물구나무를 서도 진하는 깨지 않는다. 주말 아침의 그는 몹시 취약하다. 삶을 맞이할 준비가 덜 된 상태다.

커다랗고 나약한 그의 옆에 앉는다. 이젠 내가 좋은 것을 돌려줄 차례. 엎드려 자는 진하의 등을 쓰다듬기 시작한다. 그는 잠결에도 미소 짓는다. 등 만져지는 느낌을 너무 좋아해서다.

진하의 등은 거칠다. 진하네 엄마가 추측하기로는 팔도비빔면이 화근이라고 한다. 놀랍게도 진하의 엄마는 임신했을 때 열 달 내내 팔도비빔면만 드셨다. 그게 아니었다면 진하가 태어날 때부터 아토피로 고생하지는 않았을 것이랬다. 그럼에도 불구하고 진하는 팔도비빔면을 몹시 좋아한다. 뭔가 셰익스피어적 비극 같다. 자신을 고통스럽게 하는 무언가에 강렬히 사로잡힌다는 점에서 그렇다.

계속해서 진하의 등을 쓰다듬는다. 그는 황홀하게 탄식하며 잠에서 깨어난다. 어제의 나처럼 무력한 얼굴이다. 갓 태어난 것처럼 약해 보인다. 사랑도 우정도 실은 번갈아 가며 아기가 되는 일인지도. 나를 어떻게 할지 너에게 맡겨 버리는 일인지도. 자신을 돌볼 특권을 서로에게 바치는 동안 우리 인생은 지극히 타의 주도적으로 흐른다. 나는 그의 손안에서, 그는 나의 손안에서 마음껏 어려진다.

그에게서
최고의 나를
발견한다

권에게.

네 가슴팍에 수시로 안기던 탐이 모습이 기억나. 동물들은 이상하게 너를 따르잖아. 큰 개든 작은 개든. 무던한 고양이든 까다로운 고양이든 말이야. 사실 너는 동물을 귀여워하는 사람과는 거리가 먼데. 뭐랄까, 사촌 형처럼 동물을 대하지. 무심하지만 못되지는 않은 형처럼. 반려동물들에게 넌 위선적이기보다는 도발적인 상대였어. 그들은 상냥한 나한텐 금세 흥미를 잃다가도 장난 거는 너에겐 활기를 보였지. 네가 고양이적으로 손장난을 치고 개적으로 한숨 쉬고 눈알을 굴리면 동물들과의 우정은 이미 시작되고 있었어.

《철학자와 늑대》를 읽다가 널 생각해. 너라면 읽지 않고도 이 책을 이해할 것 같아. 우리를 매혹하는 동물성이 과연 무엇인지. 이건 철학자와 늑대가 함께 사는 이야기야. 철학자의 이름은 마크. 늑대의 이름은 브레닌. 하루는 아직 새끼 늑대였던 브레닌이 커다란 불독에게 목덜미가 붙잡혔어. 죽을 수도 있었지. 마크는 그 순간을 결코 잊지 못해. 그가 쓴 문장을 읽어주고 싶어.

> 브레닌은 신음 소리만을 냈다. (…) 어린 나이에 맞지 않게 침착하며 깊게 울리는 신음 소리였다. 그것은 힘이었다. 바로 내가 항상 원했고 앞으로도 원할 힘이었다. 영장류인 내게 늘 부족하지만 결코 잊지 않고 간직해야 할 도덕적 의무를 일깨우는 힘이었다. 내가 두 달 된 새끼 늑대만큼만 힘이 있다면 나는 도덕적 악이 결코 자라나지 못할 토양이 될 것이다. (…) 나는 우연히 태어난 영장류다. 그러나 나는 자기를 땅바닥에 메다꽂은 불독에게 저항하며 낮은 신음 소리를 내는 새끼 늑대에게서 최고의 나를 발견한다. 신음은 고통이 다가옴을 예견하는 것이며, 고통은 삶의 본질이다. 그것은 내가 새끼 늑대 외에는 아무것도 아니라는 깨달음이고, 삶이라는 불독이 언제든지 나뭇가지

처럼 나를 부러뜨릴 수 있다는 깨달음이다. 그러나 동시에 결코 물러서지 않겠다는 의지의 표명이기도 하다. (…) 사고가 터질 때 나는 작은 새끼 늑대를 생각한다.+

불독보다 체구가 훨씬 작은 새끼 늑대의 모습이 그려지니? 너는 철학자도 늑대도 아니지만 둘을 조금씩 닮았으니까 알지도 모르겠어. 브레닌은 어째서 목을 물린 채로도 위엄을 지킬 수 있었을까? 비명도 안 지르고 도망치지도 않은 건 왜일까? 강아지라면 낑낑댔을 테고 영장류라면 복수를 계획하며 달아났을 텐데. 마크는 이렇게 대답해. 그건 브레닌이 가진 힘 때문이라고. 삶과 고통이 같은 것임을 아는 자의 힘, 위험을 숨 쉬듯 감당하는 자의 힘, 견딜 수 있다는 걸 배우지 않아도 DNA로 그냥 아는 자의 힘, 날마다 점점 강해질 그 힘.

그런 힘은 공격력이나 방어력뿐 아니라 도덕성을 일깨운다고도 마크는 말해. 그에게 힘 있는 존재란 악이 자라나지 않을 토양이야. 너라면 고개를 끄덕일 거야. 약하기 때

+ 마크 롤랜즈, 강수희 옮김, 《철학자와 늑대》, 추수밭, 2012, 150~151면.

문에 비겁해지는 경우를 알고 있잖아. 너도 나도 쉽게 그렇게 되어버리잖아. 우리는 힘을 쓰며 고통과 부딪혔을 때 겨우 괜찮은 생각을 해내곤 했지. 강한 사람만이 가질 수 있는 어떤 엄격함을 획득할 수도 있었어. 몸의 힘 없이는 마음의 힘도 오래갈 수 없었어.

내가 기억하는 최고의 너 역시 그런 모습이야. 다부진 몸으로 링 위에서 싸우고 있었던 너를 기억해. 정확히는 때리는 동시에 맞고 있었지. 실존적인 곤경 속에서, 두려움을 차분하게 마주한 채로 말야. 철학자 마크의 말을 빌리자면 '가장 본능적이어서 가장 활기찬 삶의 한순간'이었어. 네가 어떻게 두려움과 기쁨을 분간할 수 있을까? 코앞에 벼랑이 있다는 두려움은 기쁨을 극대화시키고, 기쁨은 다시 두려움과 결합해버리는데. 사실 가장 좋은 순간은 가장 두려운 순간이기도 하잖아. 목이 물린 채로 그 어느 때보다 생생하게 살아있는 어린 늑대에게서 최고의 나를 본다는 마크의 말을 이해할 수 있어.

나와 함께 살던 고양이 탐이는 늑대처럼 강하지는 않았지만 우월한 점이 너무나 많았어. 철학자 마크가 늑대 브레닌의 모든 몸짓에 심취했듯, 나도 탐이의 몸짓에 경탄하며 지냈지. 오 킬로그램짜리 잿빛 고양이의 우아한 육체에 대해 우리는 할 말이 많아. 탐이가 어떻게 몸을 쓰는지 관찰하다 보면 결국엔 그의 흔들림 없는 정신을 생각하게 됐어. 나는 탐이를 따라 스트레칭을 하고 몸을 굴리며 지내. 아침마다 요가를 해도 탐이 발끝만치도 따라갈 수 없었지. 그렇게나 유연하고 민첩한 신체로도 감당할 수 없었을 고통을 생각해.

탐이가 죽은 지 일 년이 다 되어가.
나는 이 죽음이 무엇인지 이해하는 중이야.

알고 있어. 삶에는 힘든 일이 일어난다는 걸. 그걸 알 만큼은 살아본 거야. 그러나 정혜윤이 말했듯, 우리는 삶에 시달리면서도 최고의 이야기를 나누고 싶어 해. 어느 해에 내린 홍수로 포도 농사를 다 망쳐버린 니코스 카잔차키스 부자의 대화를 기억할 수도 있어.

"아버지, 포도가 다 없어졌어요."
"시끄럽다. 우리들은 없어지지 않았어."

훗날 니코스 카잔차키스는 이렇게 덧붙이지.

"아버지는 재난을 지켜보며 아버지 혼자만의 위엄을 그대로 지켰다."+

내가 참 좋아하는 대화야. 재난 같은 일을 마주할 때마다 이 대화를 떠올려. 하지만 우리 중 하나가 죽은 지금 나는 어떻게 위엄을 지킬 수 있는지 잘 모르겠어. 이 죽음 앞에서 내 위엄 같은 건 아무 소용도 없지. 선명한 건 미안함과 그리움뿐이야.

이 시대의 인간과 동물이 맺고 있는 관계는 송두리째로 불공평해. 어디서부터 손대야 할지 막막할 만큼 광범위하고 잔인하게 동물을 착취해왔잖아. 마크는 말했어. 오직 인간만이 자신이 약하다는 이유로 부족한 도덕성을 변명하고 있다고. 인간은 더 이상 변명 없이는 살아갈 수 없을 만큼 약해졌다고…… 대부분의 인간은 동물을 존경하는 법을 잊은 지 오래된 것 같아. 하지만 탐이를 키우면서 결정적으로 변한 것들이 있어. 고기를 먹지 않는 일 정도는 겨우 시작일 뿐이지. 나에게 그건 최소한의 도덕이야. 하지만 이조차도 탐이에게는 더 이상 어떤 도움도 되지 않아. 그 사실이 염치없어서 울음도 꾹 참게 돼.

\+ 이상, 정혜윤, 《아무튼, 메모》, 위고, 2020, 60면.

탐이가 이제는 어디에 있는 것인지 알고 싶었어. 무덤가에 앉아 그걸 궁금해하는 나에게 네가 말했지. 탐이는 지금 이 땅 아래에 묻혀 있다고. 나는 고개를 끄덕였어. 우리는 탐이가 땅속에서 썩어가고 분해되고 그리하여 알아볼 수 없을 정도로 땅의 일부가 되는 과정과 속도에 대해 이야기를 나눴어. 엄마와 아빠는 그 땅에 눈물을 뚝뚝 흘리면서 꽃잔디와 남천나무를 심었지. 탐이가 묻힌 곳 위에 새로운 풀과 꽃과 나무들이 또 자라나고 있어.

그런가 하면 집 어디에도 탐이가 없다는 게 믿어지지 않는 날이 또다시 찾아오지. 그런 날에 나는 그저 영장류의 노래 중 하나를 불러.

장막을 걷어라
나의 좁은 눈으로 이 세상을 떠보자
창문을 열어라
춤추는 산들바람을 한 번 또 느껴보자

가벼운 풀밭 위로 나를 걷게 해주세
봄과 새들의 소리 듣고 싶소

울고 웃고 싶소

내 마음을 만져주오
나는 행복의 나라로 갈 테야

아아 나는 살겠소
태양만 비친다면
밤과 하늘과 바람 안에서

비와 천둥의 소리 이겨
춤을 추겠네
나는 행복의 나라로 갈 테야+

창틀에 앉아 변해가는 계절을 하염없이 바라보던 탐이의 뒷모습을 생각해. 이것은 내가 탐이의 무덤에 바치는 노래. 육체에서 해방된 탐이의 영혼을 위한 주제가. 탐이가 가사를 이해하지 못한대도 좋아. 또 다른 언어가 그에게 있으니까. 내가 평생 노력해도 가질 수 없을 소리와 몸짓이었어. 탐이를 닮아가고 싶었던 수많은 순간을 기억해. 탁월한 점프와 착지. 유려한 꼬리의 움직임. 확실한 요구. 고도의 청력을 가진 세모난 귀들. 하나의 행성처럼 깊은 눈이 두

+ 한대수 작사·작곡, 〈행복의 나라로〉, 1974. KOMCA 승인필.

개나 있었지. 탐이는 더는 나를 귀찮게 하지 않아. 나를 귀찮게 할 몸이 사라졌기 때문에.

나에게 사랑은 기꺼이 귀찮고 싶은 마음이야.

나에게 사랑은 여러 얼굴을 보는 일이야.

사랑한다면 그 모든 얼굴을 볼 수 있도록 부지런해지고 강해져야 해.

아프게 배운 건 잘 잊히지 않아. 늑대와 고양이의 죽음에서 배운 것들. 이 배움은 고개를 들어 너를 바라보게 해. 동물들의 각별한 형제인 너. 강하고 약한 너. 결점투성이인 너. 절대로 영원하지 않을 너…… 너무나 유한한 너를, 사랑할 수 있을 때 사랑해야지. 나중에 아프더라도 지금은 힘껏 그래야지.

그게 바로 내가 되고 싶은 최고의 나야. 고통과 환희가 하나라는 걸 모르지 않는다는 듯이, 비와 천둥의 소리를 이기며 춤추듯이, 무덤가에 새로운 꽃을 또 심듯이, 생을 살고 싶어.

자의식
천국

어느 날 여자 네 명과 개 한 명이 모여 앉았다. 나로 말할 것 같으면 그중 제일 마지막으로 도착한 여자. 다른 여자들한테 나눠줄 헌 옷을 잔뜩 싸 들고 가느라 늦었다. 찬바람 묻힌 채로 거실에 들어서자 여자들은 나 먹으라고 남겨둔 황차와 딸기 몇 조각을 내어주었다. 몸을 녹이며 황차를 홀짝이는데 여자들 중 한 명이 경고하듯 말했다. "딸기 조심해. 심하게 맛있으니까." 개를 키우는 여자의 전언이다. 내 시선은 식탁에 놓인 시뻘건 열매로 향한다. 하우스에서 재배한 대왕 딸기. 두 손으로 그걸 들고 베어 문다. 손가락에서 손바닥을 타고 손목까지 즙이 흘러내릴 만큼 물 많은 과일이다. 너무나 완벽한 당도와 산도에 인상을 쓰지 않을 수 없다. 심하게 맛있는 것을 먹으면 고통스러운 표정을 짓게 된다. 아까 그 여자가 눈을 찡긋한다. "내가 말했지?" 나는 외투도 안 벗고 딸기를 마저 맛본다. 한창 딸기에 몰입하는데 개 키우는 여자의 목소리가 들려온다. "누가 그렇게 야하게 먹냐."

그 순간 나는 정신이 든다. 딸기만 있던 무대에 갑자기 조명이 켜진 것이다. 그걸 먹는 나와 그런 나를 바라보는 친구들이 서로 눈 마주친다. 나는 좀 창피해져서 축축한 입가를 조신하게 닦을까 하다가, 아까보다 더 야하게 마저 먹기를 택한다. 혀와 입술로 장난을 친다. 왜냐하면…… 야한 것은 좋기 때문이다. 이 자리에서는 그래도 된다.

친구들은 최근에 본 시상식에 대해 수다 떨고 있다. 노래하는 여자가 김태리의 수상 소감을 회상한다.

"그렇게 큰 자리에서 진짜 자기 말투로 얘기하는 사람은 처음이었어. 그래도 되는 줄 몰랐는데."

친구들은 맞장구치며 김태리의 수상 소감을 성대모사한다. 절제되지 않은 흥분과 벅참과 우악스러운 몸짓을 흉내 내며 좋아한다.

"무대에서 자기 자신처럼 굴어도 된다고 믿을 수 있기까지 얼마나 어려웠을까?" 번역하는 여자의 질문이다. 나에게나 남에게나 사랑스럽게 받아들여질 만한 나다움, 도대체 가능하기나 한 건지 모르겠는 그 자기다움을 지니는 것이 얼마나 도달하기 힘든 경지인지 다들 안다. 무대가 주는 압력은 굉장하니까. 그 압력에 진땀을 흘리면서도 나 아닌 것은 하지 않겠다는 자세로 버티는 사람을 보면 왠지 마음이 좋아진다.

젖은 입가를 닦다가 문득 중학생 때 서본 작은 무대가 생각났다. 그때는 스스로가 너무 싫었기 때문에 무대에서의 자신을 견딘다는 게 약간 토할 것 같은 일이었다. 무대는 별로인 나를 팽창시키는 속성을 지녔다. 하지만 살다보면 싫어도 무대에 올라야 하는 순간이 온다. 시상식만큼 커다란 무대는 아니었어도 긴장하기에 충분한 규모였다. 사람들은 나의 노련미 없음을 단숨에 간파했을 것이다. 지나치게 뜸을 들이다가 갑자기 빠르게 이상한 말을 해버리고는 아무도 안 웃을 때 혼자 웃는 청소년. 웃은 것을 즉시 후회하며 세 배로 괴로워진 청소년. 그가 몸담은 장소를 자의식 지옥이라고 이름 붙이려 한다. 자의식 지옥은 촘촘한 눈들로 둘러싸인 방이다. 세상 모두가 나를 재단하는데 그중 가장 엄격한 시선을 지닌 자는 나다. 거기서 나는 나인 게 너무 불편하고, 내가 죄다 망치고 있다는 확신만이 초

단위로 선명해진다. 별일 없이 지내다가도 삽시간에 그 방으로 끌려 내려가는 일이 십대 내내 허다했다.

시간이 흐른 뒤에는 자의식 천국도 있음을 알게 되었다. 운이 좋은 날 누가 날 거기에 데려다주면 내가 나인 것이 그저 편안하기만 했다. 누가 이 천국을 지었는가? 멋진 타인들과 내가 지었다. 알게 모르게 땅을 다지고 초석을 깔고 기둥을 세운 것이다. 영원히 멋진 타인 같은 건 없을 테지만 어느 시절 우리가 좋은 이야기 속에 있었다는 사실만은 잘 변하지 않는다. 최고의 순간을 같이 겪어준 누군가에게 권위를 부여하는 것이 나는 좋다. 그와 주고받은 시선과 언어가 자의식 천국의 건축 자재다. 천국은 지옥보다 터가 넓다. 거기선 평소처럼 굴어도 좋고 평소와 다르게 굴어도 좋고 끼 부려도 좋고 실수해도 좋고 세상에 없는 노래를 즉석에서 지어 불러도 좋다.

내 삶을 누구와도 바꾸지 않겠다는 어마무시한 다짐도, 자의식 천국에서만 가능한 일이다.

자의식 천국과 지옥 모두 지속적인 관리가 필요한 장소다. 세월과 함께 금이 가고 녹슬고 이끼가 끼기 마련이다. 나는 지옥이 곰팡이로 비옥해지지 않게끔 들를 때마다 환기를 시킨다. 십대 때는 창 하나 없는 갑갑한 방이었다. 그러나 이십대 때 사랑하는 친구랑 같이 해머를 들고 벽을 깨부숴버렸다. 개 키우는 여자 말이다. 그때 개는 아직 개를 키우지 않아서인지 내 천국에 대들보를 날라주었을 뿐 아니라 지옥에도 따라와주고 그랬다. 시퍼런 눈동자로 가득 찬 벽이라 해머질 할 때 다소 역겨운 감이 있었지만 둘이 같이 구멍을 내자 바람도 들고 한결 나았다.

자의식 지옥에는 꼴 보기 싫은 내 모습이 담긴 사진들이 잔뜩 널브러져 있다. 이젠 버릴 때도 되었다 싶어 분리수거하여 내놓았다. 후회스러운 짓들의 목록으로 빼곡한 종이는 반듯하게 접어 주머니에 넣는다. 그리고 천국도 지옥도 아닌 중간 지대로 챙겨간다. 삶은 대체로 중간 지대에서 흐른다. 자신을 불쌍히 여기지도 어여삐 여기지도 않는 채로 기억해야 할 일이란 게 있다. 주머니에 손을 넣을 때마다 날카로운 종이의 단면이 닿는다. 후회를 만지작거리며 살아가는 법을 알려준 건 번역하는 여자다. 그의 주머니 속 종이에 무엇이 적혀 있는지는 모르지만 도움이 되었다. 누구의 삶에나 되돌리고 싶은 일이 있는 법이라고, 그는 말해주었다.

"막상 시상식에 가면 당장 집에 오고 싶을 것 같아."

개 키우는 여자의 목소리다. 정신 차려보니 딸기 접시

는 깨끗이 비워져 있고 내 입술에선 엷은 단맛이 난다. 친구들은 여전히 시상식에 대해 떠드는 중이다. 번역하는 여자가 노래하는 여자에게 묻는다. “후보에 올랐는데 상을 못 받으면 뭔 표정을 지어야 되는 거야?”

우리 중 시상식에 가본 건 노래하는 여자가 유일하다. 노래하는 여자는 대답한다. “글쎄. 잘 몰라. 난 매번 다 상을 받아버려서.”

그 거만한 표정과 으쓱하는 어깻짓에 우리는 환호한다. 겸손 따위 내다 버린 모습이 너무 통쾌하니까. 네가 너라서 다행이니까. 이 자리에선 그래도 된다.

자신의 안팎을 오로지 혼자서 가꿔온 사람도 있을까. 어딘가에 있을지도 모르지만 나에겐 그런 능력이 없다. 이제는 내 삶이 타인들의 시선에 대롱대롱 매달린다는 것을 어떤 유감도 없이 이해한다. 그러나 누구의 시선에 매달릴지 결정할 권한이 내게 있음을 결코 잊어선 안 된다. 또한 나 역시 누군가에게 그런 타인임을 기억해야 한다. 개를 키우거나 번역을 하거나 노래를 하는 여자의 자의식 천국과 지옥에도 내 손길이 닿아 있을 것이다.

나는 식탁에서 일어나 아까 챙겨온 헌 옷을 푼다. 특별한 날에 아껴 입었던 원피스와 셔츠와 바지들. 원하는 거다 골라가라고 내가 말한다. 여자들이 신나게 옷을 구경한다. 이들은 서로의 체형을 익히 안다. 자기 맘에 드는 옷이 있어도 쟤한테 더 잘 어울릴 것 같으면 입어보라고 그렇게 등 떠민다. 걔가 입고 나오면 모두가 본다.

"역시 이건 네 거야."

그럼 그 옷은 걔의 것이 된다.

이들은 입어보고 쳐다보기를 번갈아 반복하다가 서로가 정해준 옷을 기쁘게 챙긴다. 내가 입던 것들이 그들의 옷장으로 간다. 나와 개 키우는 여자와 번역하는 여자와 노래하는 여자의 응시. 이 응시엔 권위가 깃들어 있다. 너는 아주 어여쁘다고, 너는 더 편안해져도 된다고, 얼마든지 자기 자신처럼 굴어도 된다고 이 방 가득히 천명하듯 친구를 본다. 우정은 서로에게 좋은 대명제를 주는 일. 돌아가면서 핀 조명을 쏘아주는 일. 우리는 그렇게 여럿이서 자신의 초상을 만들며 저녁을 보낸다.

픽셀 속
영어 교사

시카고에는 이훤이 산다. 그게 내가 시카고에 대해 아는 전부다. 그곳엔 요즘도 함박눈이 펄펄 내린다고 한다. 이훤의 말에 따르면 그렇다. 하지만 그가 정말로 세상에 있는 사람인지 아닌지 나로서는 확신하기가 어렵다. 실제로 만나본 적이 없어서다. 우리는 악수조차 못 해봤다. 만져보지 않은 사람과 절친이 된 것은 처음이다. 앞으로는 그런 일이 더 많아질지도 모른다. 나는 이 시대가 기쁘고 슬프다.

이훤은 언제나 말쑥한 모습으로 줌 화면에 나타난다. 그의 뒤로 크림색 소파와 차곡차곡 쌓인 책들과 발코니가 보인다. 발코니의 블라인드 커튼은 어떤 날엔 걷어져 있고 어떤 날엔 드리워져 있는데 몹시 화창한 날이면 강한 햇살이 블라인드 틈을 뚫고 들어와 이훤에게 닿는다. 그럼 화면 속에서 그의 얼굴 반쪽이 일시적으로 하얗게 날아가버린다. 노출이 적정 수치를 넘었기 때문이다. 웹캠은 햇볕 쬐는 얼굴이라는 정보를 능숙하게 처리하지 못한다. 나의 두 눈으로 직접 봤다면 아무 문제도 없었을 텐데. 어쨌거나 지금은 이훤의 노트북에 딸린 카메라의 성능만큼만 그를 볼 수 있다.

이훤의 키는 백팔십사 센티미터라는데 전신을 본 적이 없으니 딱히 실감 나지 않는다. 나에게 이훤은 정수리부터 가슴팍까지의 인간이다. 언젠가 그를 실제로 만나게 된다면, 그가 멀대처럼 성큼성큼 내게로 걸어온다면 너무 이상한 기분이 들 것 같다. 입에선 이런 말이 튀어나올 것이다. "너…… 하체도 있었어……?"

이훤의 상체를 보며 영어를 배운 지 세 달째다. 영어를 가르치는 건 그의 본업이 아니다. 그는 시인이자 사진가다. 이민자로서 무언가를 쓰고 찍는다. 여러 잡지에 글과 사진을 기고하며 때때로 전시에도 참여한다. 코로나 이후 전시는 주로 온라인의 일이 되었다. 내가 이훤을 알게 된 경로도 모두 온라인을 통해서다. 어느 날 그가 출연한 라디오방

송을 우연히 들었는데 영어로 진행되는 인터뷰라 반의반도 못 알아들었지만 왠지 무척 좋았다. 그가 진행자의 질문에 대답하는 방식 때문이었다. 상대에게 동의할 때나 동의하지 않을 때나 부드럽게 말문을 열고 있었다. 또한 서두르지 않고 차분히 단어를 골랐다. 존중이 흐르는 대화였다. 앞사람에 대한 존중. 언어에 대한 존중. 이런 존중을 지닌 자에게 말을 배우고 싶었다.

그에게 화상 채팅으로 영어 수업을 제안했다. 그는 흔쾌히 알겠다고 했다. 돈 받을 생각을 전혀 안 하길래 나와는 정말 다른 사람이라고 생각했다. 나는 돈을 받지 않아도 될 일과 돈을 받아야만 하는 일을 언제나 구분한다. 후자의 경우 얼마큼의 금액이 적절한지도 금세 따져본다. 최소한 이 정도는 받아야겠다고 상대에게 요구하는 것도 어렵지 않다. 물론 가장 좋은 건 상대가 적정 금액을 먼저 제시하는 경우인데, 자신의 시세가 어느 정도인지를 이휜 스스로 알 것 같지 않았다. 동료 작가에게 영어를 가르치는 건 처음일 테니까. 나는 화상 영어 수업 시세를 조사한 뒤 제안했다.

"주 1회 수업은 월평균 ○○만 원인데, 일대일 집중 수업이라는 점과 매주 세 시간씩 길게 만난다는 점과 네가 현역 작가라는 점을 고려해서 수업료를 조금 더 높게 책정하는 것이 좋겠어. 한 달에 ○○만 원이면 적당할 거야. 그런데 내가 세 달치를 한꺼번에 낼 계획이야. 모든 학원은 여러 달 수업료를 선결제하면 할인해주기 마련이거든. 그러니까 너도 십오 퍼센트쯤 디스카운트해서 삼 개월에 ○○만 원을 받으면 완벽할 것 같아. 어때?"

그는 흔쾌히 수락하였다.

수업은 근황 토크로 시작된다. 나는 더듬거리며 영어로 말한다. 어제 국회의사당에 다녀왔다고. 내가 후원하는 국회의원의 의정보고를 듣기 위해서였다고. 국회에 있는 내 모습은 out of place(제자리에 있지 않은)처럼 느껴졌지만…… 어쨌거나 그 의원을 너무나 좋아하고 있다고. 이런 서너 마디를 하는 데에만 일 분이 넘게 걸리는데 이훤은 전혀 재촉하지 않는다. 너그럽고 느긋한 태도로 듣고 있다. 나는 또다시 더듬더듬 다음 근황을 말한다. 소속사가 생겼다고. 두루두루 아티스트 컴퍼니에 들어가게 된 것이라고. 그곳엔 흥미로운 예술가들이 있다고. 이훤은 귀 기울여 들은 뒤 나를 축하한다. 이훤의 정확한 문장과 나의 틀린 문장이 공평한 지분으로 쌓여 간다. 어디를 틀리게 말했는지 그는 일일이 정정하지 않는다. 그저 내가 용기를 내어 신나게 말하도록 둔다. 틀린 것을 고쳐주는 대신 풍부한 어휘를 추가해주는 게 그의 방식이다. 새로운 단어를 설명할 때 이훤은 손을 풍부하게 움직인다. 그의 손가락에는 멋진 반지가 끼워져 있다.

수업에서 이훤과 내가 한 주도 빼놓지 않고 사용하는 두 개의 단어가 있다. 하나는 manuscript(원고)이며, 다른 하나는 sleep-deprived(잠이 부족한)이다. 우리는 언제나 어떤 원고를 써야 하는 상태이거나 쓰고 있는 상태이거나 늦은 상태다. 그러느라 늘 잠이 부족하다. 첩첩산중 같은 마감 능선을 따라 사는 사람들은 숙면을 취하는 날이 드물다. 나는 원고가 늦어질 때 꼭 악몽을 꾼다. 꿈에서 편집자를 만나거나 독자들에게 쫓기거나 고층 빌딩 옥상에서 발을 헛디뎌 추락사한다. 화들짝 깨어나서는 곤두선 얼굴로 원고를 마저 쓴다. 스스로 자각하지 못할 때도 있지만 그때의 나는 조금 까칠해질 것이다. 복희와 웅이가 저녁마다 눈치를 보며 집 안을 살금살금 걸어 다니는 것도 그래서일 테고 말이다. 이훤은 나보다 오 년 먼저 세상에 태어났고 성별도 체구도 거주지도 다르지만, 마감 앞에서 다소 까칠해진다는 점은 별반 다르지 않을 듯하다. 만약 '작가와 한집에 사는 사람들의 모임'이라는 게 세상에 있다면 우리의 동거인들은 서로의 노고에 깊이 공감하며 손을 맞잡겠지. 그 자리에서 우리의 다중인격은 낱낱이 분석될 것이다.

이휜이 묻는다.

"What do you do when stuck with a manuscript? (원고가 막힐 땐 어떻게 해?)"

나는 대답한다.

"When I'm stuck, I leave my desk and I find my cats. I bury my nose in their body. I just smell them. Their smell is similar to peanut butter. Then I come back to my desk. How about you?(원고가 막히면 책상을 떠나서 고양이들을 찾아. 걔네들 몸에 내 코를 묻어. 그 몸에서 나는 고소한 땅콩버터 냄새를 맡아. 그리고 다시 책상으로 돌아오는 거야. 넌 어떻게 해?)"

이휜은 대답한다.

"I shower in cold wind on the balcony.(발코니에서 찬바람으로 샤워를 해.)"

나는 이휜이 찬바람을 쐬며 서 있을 먼 도시의 어느 발코니를 상상한다. 그 역시 마음에 쏙 드는 원고는 아주 드물게 쓸 것이다. 대개의 마감은 시간과 체력의 부족으로 적절히 타협한 채 끝이 날 것이다. 욕심 때문에 작업 진도가 너무 나가지 않을 때면 그는 자신이 그렇게까지 대단한 작가가 아님을 기억해낸다고 한다.

"I remind myself that I'm not the greatest writer in the world. Because I know I am not."

나는 그의 말이 비관적인 자조가 아님을 안다. 그건 그저 계속하고 다시 하겠다는 담담한 의지 같은 것이다.

이휜은 또 묻는다.

"What inspires you these days?(요즘 너한테 영감을 주는 건 뭐야?)"

나는 대답한다.

"My psychotherapist. He makes me dream a lot.(나의 정신분석 선생님. 그 사람 때문에 요즘 꿈을 많이 꿔.)"

이휜이 덧붙인다.

"He planted ideas in you.(네 안에 수많은 생각을 심었구나.)"

이 문장에서 동사로 활용된 plant라는 단어는 너무나 멋지다. 명사였다가 동사가 되면서 생기 있게 움직이는 단어들이 영어에는 많다.

이휜과 회화하는 동안 내 머릿속에선 영어와 한국어가 부드럽게 만나고 섞인다. 이윽고 나는 몇 가지 새로운 단어를 창조한다.

이를테면 pagodle이라는 말이 있다. 누군가의 품으로 파고들 때 쓰는 동사다. "I'm pagodling you deeply.(나 지금 너한테 깊이 파고들고 있어.)"

moonkle이라는 말도 있다. 뭉클한 상태를 뜻하는 형용사다. "I was moonkle because of you.(너 때문에 뭉클했잖아.)"

하지만 이 말은 부사로 활용할 때 가장 아름답다.

"He saw me moonkly.(그는 나를 뭉클하게 바라보았다.)"

이런 것들을 늘어놓으면 이훤은 내게 genius(천재)라고 말해준다. naturally talented(타고난 재능)라고도 말해준다. 그의 후한 칭찬에 내 어깨는 으쓱해지고 새로운 단어가 또 탄생한다. 영화 〈마션〉 속 맷 데이먼을 potatoable man(감자적인 맨)이라고 부르거나, 툭하면 사전에 단어를 검색하느라 여념이 없는 이훤을 dictionarable man(사전스러운 맨)이라고 부르거나, 호박엿을 즐겨 먹는 이훤을 grandfatherable man(할아버지 같은 맨)이라고 놀리는 식이다. 영어를 반드시 잘해야만 할 이유가 내게는 없다. 아무도 나에게 영어 공부를 강제하지 않는다. 그래서인지 이 영어 공부는 즐겁고 홀가분하기만 하다.

그런가 하면 한국어가 새로워지는 날도 있다. pity(연민)라는 단어를 배우다가 self-pity라는 단어를 알게 된 날이었다. 이훤이 말했다. 영어에서는 '자기 연민'이라는 말이 언제나 부정적인 뉘앙스로 쓰이진 않는다고. 나는 놀랐다. 한국어에서 자기 연민은 거의 늘 부정적인 뉘앙스이기 때문이다. 나만 해도 긍정적인 뉘앙스로 자기 연민을 이야기한 적이 없었다. 그게 조금 가혹할지도 모르겠다고 처음으로 생각했다. 사실 '자기'도 소중하고 '연민'도 소중한 것인데 말이다. 다르게 말할 수도 있을 것 같았다.

"생을 슬퍼하는 감각이라고 말하면 어떨까?"

내가 묻자 이훤은 고개를 끄덕였다.

"생을 슬퍼하는 감각……"

우리는 각자의 거실에 앉아서 그 말을 한 번씩 곱씹었다. 그러다가 시간이 다 되면 손을 흔들며 작별 인사를 했다. 여전히 상체만을 바라보는 채로. 때로는 버퍼링 속에 멈춰 있는 채로. 간혹 깨지는 픽셀 속에서 얼굴이 뭉개진 채로. 안녕. 안녕. 또 만나.

그런데 우리가 진짜로 만났던가?

영어 수업을 하지 않는 날에는 가끔씩 구글어스를 실

행한다. 이훤네 집에 놀러 가기 위해서다. 내가 사는 파주에서 이훤의 집주소를 찍으면 구글어스는 빛의 속도로 나를 데려간다. 한반도는 거짓말처럼 멀어지고, 내 몸은 잠깐 우주로 떠올라 어딘가로 빨려들어간다. 심해를 지나, 낯선 대륙을 지나, 미국의 일리노이주로, 그곳의 노스콜럼버스 스트리트로 향하는 것이다. 롤러코스터를 타는 것처럼 어지럽다. 순식간에 지구 반대편까지 이동하느라 심장이 쿵쾅대고 속이 울렁거린다.

구글어스로 도착한 이훤네 동네는 잘 정비된 회색 도시처럼 보인다. 디스토피아 같기도 하고 유토피아 같기도 하다. 바다만큼이나 커다란 미시간 호수가 도시를 둘러싸고 있다. 호수를 내려다보는 수백 개의 고층 건물 중 하나, 그중에서도 이십사 층, 작은 거실과 크림색 소파와 차곡차곡 쌓인 책들과 압력밥솥이 있는 집에 이훤이 산다. 이훤의 말에 따르면 그렇다. 악수조차 못 해본 이훤이지만 그의 말을 믿으며 낯선 동네의 발코니를 바라본다.

그곳에서 이훤은 허리를 펴고 찬바람을 쐴 것이다. 나는 그가 시카고의 바람을 묻힌 채 멀대처럼 성큼성큼 나에게 걸어올 미래를 기다리고 있다.

신인들

허리가 시원찮은 젊은이 두 명이 만나기로 했다. 한 명은 이슬아고 한 명은 계미현이다. 최근에 둘은 각자 다른 이유로 새사람이 되었다. 이슬아의 경우 어느 일요일에 낮잠을 자다가 그렇게 됐다. 숙면은 새사람이 되는 다양한 방법 중 하나다. 푹 자고 일어나면 어느새 새로워진 자신을 만날 수 있다.

순간 같기도 하고 영원 같기도 한 낮잠 속에서 이슬아는 여러 죽음을 겪었다. 죽임당하기도 하고 죽이기도 하였다. 꾸는 내내 등이 땀으로 흠뻑 젖을 만큼 험한 꿈이었다. 꿈에서 깨자 해는 중천에서 번쩍이고 심장은 중앙에서 펄

떡였다. 죽지 않은 것에 안도하며 눈을 떴다. 이슬아는 살아가는 것을 좋아하는 사람이었다. 부활하듯 이부자리를 빠져나와 방바닥에 발을 디뎠다. 걸어진다니 감격스러웠다. 걷는 행운은 당연히 주어지는 게 아니므로. 두 발을 번갈아 내디디며 다짐했다. 새사람이 되었으니 새 친구를 만들어야지. 그때 떠오른 것이 계미현의 얼굴이었다.

계미현의 경우 어느 월요일 아침 꿀벌에 관해 공부하다가 새사람이 되었다. 꿀벌이란 알면 알수록 경이로운 종이었으며 그것을 알기 전의 자신과 지금의 자신을 다른 사람이라고 말할 수 있을 정도로 중요한 배움이었기 때문이다. 꿀벌에 대한 지식이 현을 새사람으로 만들었다. 현은 늘 동물로부터 배웠다.

두 사람은 딱 한 번 스치듯 만났다. 작가들이 동물의 이름으로 시국선언을 했던 여름날이었다. 현은 스태프로 일하며 이슬아의 얼굴에 돼지 귀 모형과 돼지 코 모형을 달아주었다. 이슬아는 그날 자신이 발표한 산문을 기억하지 못한다. 하지만 현이 발표한 시는 너무나 아름다워 잊을 수가 없었다. 현처럼 쓰려면 처음부터 다시 살아야 한다고 생각했다. 그가 또 어떤 글을 썼을까 검색해보기도 했다. 공개된 글은 전무했다. 에스엔에스 계정조차 없었다. 요즘 같은 주목경제 시대에 그런 작가는 드물었다. 연락처를 찾기 위해 수소문했다. 어렵사리 얻은 현의 번호로 문자를 보냈다.

"안녕하세요. 저는 이슬아입니다. 방금 긴 낮잠을 잔 뒤 새로 태어났습니다. 그리고 당신과 친구가 되고 싶습니다."

현으로부터 답장이 돌아왔다.

"오늘이 생일이시군요. 저 역시 생일이 자주 바뀌는 편입니다. 해마다 편차는 있지만 평균 삼백팔 일 정도 새로 태어나죠. 생일은 새로 태어난다는 점에서 몹시 아픈 날이기도 한 것 같습니다."

그러므로 생일잔치를 준비하겠노라고 현은 덧붙였다. 두 사람은 화요일 낮에 만나 케이크를 나눠 먹기로 했다.

현과의 만남 당일, 이슬아는 헌사람의 버릇을 버리지 못하고 지각을 하며 사과 문자를 보냈다.

"조금 늦을 것 같습니다. 뛰어가고 있습니다."

현은 자주 다시 태어나본 사람답게 느긋한 답장을 했다.

"저는 기다리는 걸 좋아합니다. 걸어오십시오."

이슬아는 뛰다 말고 걸었다. 아직 날이 찼다. 그가 카페 문을 열어젖혔을 때 현은 볕이 잘 드는 자리에 바른 자세로 앉아 있었다. 마스크를 쓰고도 한눈에 알아보았다.

둘은 깍듯이 인사를 주고받았다. 각자의 차와 당근케이크를 주문한 뒤 마주 앉았다. 마주 보고 나니 둘 다 왜소했다. 서로의 눈을 피하지 않는 여자들이었다. 현이 흰 봉투 하나를 이슬아 쪽으로 내밀었다. 돈 봉투라고 하기엔 작고 카드 봉투라고 하기엔 컸다.

"이게 뭐죠?"

이슬아가 묻자 현이 차분하게 대답했다.

"열어보시면 뭔가가 시작됩니다."

이슬아는 영문을 모른 채 봉투를 뜯었고 그 안엔 한 장의 종이가 들어 있었다. 종이에 적힌 문장은 다음과 같았다.

생일잔치 식순

1. 인사 및 소개
2. 케이크 먹기(노래는 속으로만)
3. 선물 전달
4. 태어난 소감 발표
5. 인사 및 마무리

"이슬아는 몹시 바쁜 사람이라고 들었습니다. 귀하게 내준 시간을 알차게 쓰기 위해 순서를 정해보았습니다."

그 말을 하는 현은 남색 재킷을 입고 있었고 마치 중요한 학회를 진행하는 사람처럼 보였다. 행사에 일가견이 있는 이슬아는 현이 무얼 하려는지 곧바로 이해한 뒤 식순을 충실히 따랐다.

1. 인사 및 소개

"안녕하세요. 저는 이슬아입니다. 낮잠과 함께 새로 태어났습니다. 전생에선 자동차 부품 상가에서 태어나고 자랐어요. 자동차에는 아주 잡다한 부품과 액세서리가 들어가는데요. 룸미러, 범퍼 가드, 도어 가드, 바이저 등을 차에 붙이려면 접착제가 필요하잖아요. 저희 할아버지와 아빠는 그것들을 접착하기 위한 양면테이프를 팔았습니다. 양면테이프로 가득 찬 대가족의 집이었어요. 그러니까 저는 끈적끈적한 세계의 손녀딸이었습니다."

"안녕하세요. 저는 현입니다. 꿀벌과 함께 새로 태어났습니다. 전생에선 만둣집 손녀딸이었습니다. 오래전 저희 할머니는 만두로 대박을 터트린 이력이 있습니다. 만두를 팔아서 세 명의 고모와 저희 아빠를 키우셨어요. 저도 만둣집에서 자란 덕에 겁 없이 만두를 빚는 사람이 되었습니다."

2. 케이크 먹기(노래는 속으로만)

당근케이크가 나왔고 두 사람은 각자 다른 쪽의 모서리를 한 입씩 먹었다. 공공장소라 축하 노래는 생략하였다. 이슬아가 케이크를 우물거리며 물었다.

"만둣집 손녀를 만나서 영광입니다. 할머니가 만두를 빚는 동안 할아버지는 무슨 일을 하셨는지 궁금합니다."

"할아버지는…… 집에서 글을 쓰셨습니다."

"아."

"문학 한남…… 이셨습니다."

"네……"

"그리고 저는 할아버지를 많이 닮았습니다."

"저런……"

둘은 인상을 쓰며 웃었다. 살림에 딱히 도움이 되지 않는 글을 썼던 할아버지를 기억하며 현이 말했다.

"글을 자주 보여주셨어요. 칭찬하기 전엔 안 놔주셨기 때문에 저는 어려서부터 할아버지 글을 빨리 칭찬하고 넘어가는 법을 익혔습니다."

"글로 가세를 일으키는 건 여전히 어려운 일이죠."

"사실 가세를 일으키는 건 무엇으로든 어려운 일 같습니다."

"할아버지 대신 가세를 일으킨 할머니의 이름이 궁금합니다. 저에겐 향자와 존자라는 이름의 할머니들이 있는데요."

"우리 할머니의 이름은 희자입니다. 희자는 현재 여든세 살이지만 어쩐지 저보다 건강한 느낌이에요. 희자에겐 남자친구도 있습니다. 남편은 죽었습니다."

"우리 아빠의 엄마 향자는 좀 매정하지만 정말 훌륭한 가수입니다. 저보다 더 오랫동안 자유형으로 헤엄칠 수도 있습니다. 또한 우리 엄마의 엄마 존자네 집에는 정말 훌륭한 된장, 고추장, 간장이 있습니다."

"우리 희자는 마트에 갈 때도 풀메이크업을 합니다. 그리고 화려한 장신구를 찹니다. 나중에 저에게 다 물려주실 예정이라는데 제가 과연 그것들을 사용할지는 모르겠습니다."

현과 이슬아는 둘 다 얼굴에 화장기가 없었다. 어떤 장신구도 하지 않은 채였다. 젊응께 암시롱케나 해도 된다고 할머니들은 말해줄 것이었다.

3. 선물 전달

현은 이슬아에게 《아름다움과 정의로움에 대하여》라

는 제목의 책을 선물했다. 이슬아는 현에게 '희망가'라는 이름의 향수를 선물했다. 둘 다 유구한 역사를 지닌 물건이었다.

4. 태어난 소감 발표

태어난 소감과 새사람으로서의 포부를 밝히려던 차에 이슬아는 날카로운 허리 통증을 느꼈다. 자세를 고쳐 앉아도 통증은 쉽게 가시지 않았다. 새사람은 헌사람이 해놓은 과로에서 자유롭지 않은 존재였다. 그때 현이 이슬아에게 물었다.

"혹시 지금 허리 아픈가요?"

이슬아가 물었다.

"말 안 했는데 어떻게 알았죠?"

"사실 저도 허리가 아프기 때문입니다."

당신도 허리가 아프다니! 이슬아는 안타까움과 반가움을 동시에 느꼈다. 동년배 중 허리 아픈 사람을 만나기란 쉽지 않았기 때문이다. 허리 아픈 이슬아를 진정으로 이해하는 건 중년 이상의 언니들이었다. 그들은 만나자마자 누우라며 자리를 펴주었다. 이불 위에서 누워서 말하고 누워서 글 쓰면 통증이 가셨다. 누울 수 없을 땐 서는 것도 대안이었다. 앉은 자세는 허리에 하중을 주기 쉬우므로 중간중간 일어서는 게 중요했다. 사실 그보다 좋은 건 사족보행일 수도 있었다. 인간의 허리 통증은 직립보행과 매우 유관한 문제니까. 네발 동물들은 이런 고통을 잘 겪지 않았다. 한편, 인류가 두 발로 서게 됨으로써 두 손이 자유로워졌고 그렇게 발달한 손과 두뇌의 기능으로 이슬아도 현도 책을 읽고 글을 썼다.

이슬아가 한 자세로 오래 일하다가 허리에 근육통이 온 경우라면 현의 경우 정말로 부상이었다. 청소년기 때 허리를 크게 다쳐서 오랫동안 재활치료를 받았다. 중학교 땐 교실 맨 뒷자리에 홀로 서서 수업을 듣기도 했다. 앉는 자세를 할 수 없어서였다. 그런 아이는 전교생 중 현뿐이었을 것이다. 그러니 앉았다 섰다를 반복하며 대화하는 이슬아를 헤아리는 것 정도는 현에게 거뜬한 일이었다.

"걷는 연습도 처음부터 다시 했어요. 덕분에 저는 아주 똑바로 걷는 사람이 되었답니다."

현은 뒤꿈치에서 발가락의 끝까지 천천히 차례대로 땅에 붙였다가 떼는 걸음걸이를 보여주었다. 꼭 걸음의 정석 같았다. 오랫동안 걷지 못한 사람만이 그렇게 조심스레

걸을 수도 있을 것이다. 걷는 법을 중학생 때 새삼 다시 배우는 건 도대체 어떤 느낌이었을까. 이슬아가 바르게 선 채로 말했다.

"그때도 새로 태어났겠군요."

현이 고개를 끄덕였다.

"맞아요."

새로 태어난다는 건 늘 아프고 난 뒤의 일임을 이슬아는 그제야 깨달았다. 생일이 몹시 아픈 날이기도 하다는 현의 말을 이해할 수 있었다. 그러자 아무 소감이나 말할 수 없게 되었다.

5. 인사 및 마무리

그래도 그는 계속해서 새사람이 되고 싶었다. 잊을 만하면 신인의 광채를 내뿜으며 할머니를 향해 가고 싶었다. 신인은 자신과 세상의 새로움에 깜짝 놀라는 사람이다. 어제의 나라면 상상도 못 했을 좋은 시도를 오늘 하는 사람이다. 그리하여 미래로부터 기대받는 사람이다.

낮잠에서 깨어났을 때 이슬아는 본능과 함께 현 쪽으로 움직였다. 잘 설명할 수 없지만 미래가 손짓하는 느낌이었다. 막상 두 사람이 만나 나눈 이야기들은 죄다 과거에 관한 것이었지만 말이다. 우리들의 유래, 그리고 자, 자, 자, 자로 끝나는 옛날 여자들의 역사. 의지와 상관없이 아들 자子를 부여받고 감당하고 뛰어넘은 딸들의 이야기. 현은 말했다.

"희자에 대해 써왔어요. 앞으로도 쓸 거고요."

이슬아는 고개를 끄덕였다. 자신의 글 속에 자꾸만 할머니들을 모시는 심정을 이해할 것 같았기 때문이다. 그들은 오래된 여자지만 끊임없이 새로운 지혜를 우리에게 일러준다. 그는 현에게 시 한 편을 소개한다.

"저의 글쓰기 스승 어딘이 대학생 때 썼던 문장을 들려줄게요. 정확히 기억나지 않지만 대략 이런 시였어요."

공자, 맹자, 노자, 장자, 묵자……
미자, 옥자, 혜자, 순자, 희자……

이 시의 용맹함을 단번에 알아챘기 때문에 현은 웃었다. 오로지 남성 현인들만 기록되던 역사 옆에 할머니들의 이름을 나란히 놓다니 얼마나 좋은가.

지난 세기에 대한 얇은 이해와 함께 현과 이슬아는 웃

고 떠든다. 웃고 떠들면서 이번 세기를 겪는다. 겪을수록 아픈 곳이 새로 생겨날 테고, 그러다가 자신들도 모르게 새로 태어나버릴 것이다. 안녕, 안녕, 하고 작별하더라도 생일 잔치는 금세 또 시작될 것이다.

두 눈은
바깥을
향해

몸에 힘을 풀고 있어도 뱃가죽이 딴딴한 느낌. 그건 매일 운동을 해놓은 자의 감각이다. 지난 십 년간 이 느낌과 함께 살아왔다. 그런데 코로나 시대의 어느 봄날 정신을 차려보니 나의 뱃가죽에 도무지 어떤 긴장감도 느껴지지 않는 것이었다. 등에 붙은 살 역시 예전보다 흐물흐물해진 듯했다. 이부자리에서 걸어 나와 거울을 보고 이대로는 안 된다고 생각한 뒤 곧장 달리러 나갔다. 여든한 살인데 아직도 빨래판처럼 단단한 우리 할아버지의 복근을 떠올리며 뛰었다.

집 앞에는 웬 벌판이 하나 있다. 원래는 중학교가 지어질 부지였는데 무산되어서 이제는 일없이 비었다. 여러 종류의 들풀이 아무렇게나 자랄 뿐이다. 그 땅의 가장자리를 두 바퀴 돌면 딱 일 킬로미터다. 달리기가 잘 되는 날에는 누가 나를 뒤에서 밀어주는 느낌이 든다. 그게 누구냐면 지난 며칠간 꾸준히 달려놓은 과거의 나다. 그런 날들이 쌓였을 땐 몸이 마음을 거뜬하게 이끌고 간다. 하지만 오랜만에 달리는 날에는 마음이 몸을 이끌어야 한다. 몸이 안 따라줘도 마음의 힘으로 살살 달래며 데리고 가는 수밖에 없다. 입은 다물고 주위를 보면서 뛴다. 숨소리가 규칙적으로 들려온다.

고추밭과 고구마밭을 지나치고, 어느 집에도 소속되지 않은 채 동네를 배회하며 사는 자유로운 개 하나를 지나치고, 딸기의 가장 달콤한 부분만 베어 먹는 아이를 키우는 시인 부부의 마당을 지나치고, 오래된 묘지를 지나치고, 쑥 캐는 할머니를 지나치고, 뜸한 배차 간격의 이층버스를 지나치고, 아무 건물도 지어지지 않은 벌판을 지나치며 뛴다. 벌판은 젖은 풀냄새를 한가득 머금고 있다.

나는 충동적으로 길에서 벗어나 들판으로 진입하여 억센 풀을 밟으며 마구마구 달린다. 종아리에 이슬이 잔뜩 묻는다. 그러고 보니 올해의 첫 반바지 차림이다. 길 가던 할아버지가 마스크를 쓰고 뒷짐을 진 채 멈춰 서서 나를 물끄러미 바라본다. 왜 그런 데를 뛰어다니느냐는 얼굴이다.

나는 문득 마리오 같은 사람이 되고 싶었다. 마리오는 칠레의 어느 바다 마을에 살며 파블로 네루다에게 우편물을 배달하는 열일곱 살 청년이다. 어부 아니면 우체부가 되는 게 그의 선택지였다. 나였어도 왠지 우체부를 선택했을 듯하다. 날마다 편지를 한가득 지고 산을 올라 파블로 네루다의 현관을 두드리는 삶. 노벨문학상을 탈지도 모르고 칠레의 대통령이 될지도 모르는 대작가를 조금씩 구경하는 삶. 퇴근하고 바에 가서 짝사랑하는 바텐더 여자에게 건넬 말을 다듬기 위해 처음으로 시집이란 걸 읽어보는 삶. 아무 운동도 하지 않았는데 늘 뱃가죽과 허벅지와 팔뚝이 딴딴한 삶…… 살아본 적도 없는 마리오의 삶을 그리워하며 뒷동산을 향해 달렸다.

글쓰기에 관한 마르그리트 뒤라스의 입장은 내게도 적용된다. '나의 쓰기는 말하지 않기'라고 그는 이야기했었다. 이렇게 입 다물고 뛰는 시간이 없다면 일간 연재 같은 건 절대로 계속할 수 없을 테다. 오르막길을 달리는 동안에는 번갈아 내디딜 수 있는 두 다리가 있음에 감사하게 된다. 언젠가 유진목 시인이 말했다. 젊다는 건 내게 허리와 목과 무릎이 있다는 걸 잊고 사는 거라고. 그곳들이 아프기 시작하면 결코 잊을 수 없을 테니 말이다. 나는 아직 어떤 통증도 없이 뒷동산을 뛰어서 올라갈 수 있다. 만약 글쓰기와 뒷동산 뛰기 중 하나의 능력만이 내게 허락된다면 망설임 없이 후자를 택할 것이다. 다행히 지금은 두 가지를 병행할 수 있으며, 뒷동산은 사실 걸어서 올라가면 더 좋다. 그뿐만 아니라 뒷동산은 우리 엄마 복희랑 같이 걸으면 더 좋다.

복희는 산책할 때 여러모로 바쁜 사람이 된다. 뒷동산의 모든 것을 모조리 느끼느라 분주하다. 아카시아와 흐드러진 라일락 가지의 향기를 맡고, 이팝나무, 조팝나무, 가문비나무를 알아보고, 약초로 끓여 마실 수 있는 풀들을 발견하고, 어디선가 들려오는 새소리를 성대모사하고, 버드나무가 아스피린의 원료임을 내게 알려주는 동시에 솔잎을 뜯어 먹느라 정신이 없다. 그는 시각, 청각, 후각, 촉각, 미각을 적극적으로 동원하며 뒷동산을 오른다. 나는 복희의 말을 대충 흘려들으며 그보다 빠른 걸음으로 정상을 향해 간다. 이 정도 운동량으로는 칼로리 소모가 충분하지 않다고 생각하며 갑자기 전력 질주하기도 한다. 복희는 나보다 더딘 걸음으로 뒤따라온다. 그러나 만약 그와 내가 씨름 대결을 한다면 그는 곧바로 나를 땅에 메다꽂을 것이다. 어째서 늘 복희가 나보다 힘이 센 것인지는 아직도 의문이다.

뒷동산에는 수리부엉이가 산다. 운이 좋으면 저 멀리 가지에 앉아 있는 커다란 수리부엉이를 마주칠 수도 있다. 부엉이를 발견하는 건 언제나 복희다. 복희는 노안이 와서 스마트폰의 글씨를 잘 읽지 못하지만 멀리 있는 것은 나보다 더 잘 본다. 반면, 나는 스마트폰 글씨는 잘 읽지만 안경 없이는 수리부엉이와 바위를 분간하지 못할 정도로 시력이 나쁘다. 복희가 작은 목소리로 "재 좀 봐, 너무 멋있어"라고 말하면 나는 안경부터 찾는다. 하지만 안경은 집에 있다. 대신 핸드폰을 꺼내 카메라앱을 켜서 부엉이를 향해 최대한 확대한다. 그럼 깨진 픽셀의 부엉이 형상이 보인다. 핸드폰 화면 속에서 수리부엉이와 나는 눈이 마주친다. 그와 나는 행성 같은 눈동자를 두 개씩 지니고 있다.

이때 갑자기 당연한 사실을 알게 된다. 우리의 눈이 바깥을 향해 나 있다는 것. 자기 밖의 세계를 보는 구조다. 수리부엉이를 응시하며 거울을 덜 보고 싶다는 생각을 한다. 인간이 동물의 지능을 시험할 때 자주 쓰는 것 중 하나가 거울 실험이다. 침팬지나 코끼리나 돌고래가 거울을 이해하는지, 거울 속 자신을 인식하는지 확인하며 그들의 지능을 테스트한다. 하지만 그들이 거울 속 자신이 자신임을 아는 것은 그들의 진화 과정에서 딱히 필요한 능력이 아니었다. 그들은 거울 없이도 우아하고 우월한 몸짓으로 살아간다. 나는 거울이 반사하는 내 모습에 덜 사로잡히고 싶어진다. 거울과 스마트폰을 번갈아보는 와중에 세계를 해석하는 감각이 꾸준히 둔해져온 것 같다.

뒷동산에서 내려오는 길에는 아랫배가 전보다 딴딴해져 있다. 다시 요가원이 문을 열고 태권도장이 문을 연다면 내 근육량도 늘어날 것이다. 바이러스의 시대에는 그곳들이 언제 다시 문을 열지 미지수다. 내 몸을 만지며 운동을 가르쳐준 그들이 너무 보고 싶은 나머지 나는 요가 원장과 태권도 관장이 서로를 사랑하게 된 소설을 쓰기 시작하고 말았다. 역시 글쓰기는 그리움에서 출발하는 것일까. 더 이상 볼 수 없는 것을 보게 하려고 문장으로 그림을 그리는 것일까. 바깥을 향해 난 두 눈으로 본 무언가를 불멸화해보려는 시도일까. 나는 두 눈을 깜빡이며 세계를 수없이 다시 본다.

젊은이와 어린이

한동안 오후 다섯 시마다 태권도장에 다녔다. 특별한 약속이 없으면 꼭 그렇게 했다. 특별한 약속이 있어도 웬만하면 네 시 반에는 헤어졌다. 헤어지고 옷만 갈아입으면 태권도장에 출석할 수 있다. 우리 집 현관에서 도장까지 내 걸음으로 일 분이면 도착한다. 태권도를 배우기 시작한 건 순전히 가까워서다. 만약 검도장이나 에어로빅 학원이 더 가까이에 있었다면 그곳에 다녔을 것이다. 사실 사랑도 우정도 그냥 가까운 애랑 하는 편이다. 하지만 파주에서 살던 무렵엔 가까이에서 젊은이를 찾기가 어려웠다. 동네 친구를 만들고자 오랜만에 틴더+에 접속해보았는데 반경 오 킬로미터 내에 거주하는 젊은이가 한 명도 없었다. 지리적으로 파주는 서울보다 개성에 더 가까웠다. 북한에 데이팅앱이 보급된다면 나는 개성 사람과 매칭될 확률이 높겠으나 요원한 일이다. 그래서 틴더를 끄고 도복 바지를 입은 뒤 태권도장으로 향했다.

도장에서는 빨간 띠를 맨 초등학생들이 품새를 하고 있다. 그들은 멋지게 주먹을 내지르고 자기 머리보다도 높은 곳에 발차기를 하면서도 몸의 균형을 잃지 않는다. 이 도장에는 성인반이 없다. 어린이들 사이에서 태권도를 배우는 첫날이다. 겸손한 자세로 양말을 벗고 있는데 키가 백센티미터 조금 넘을까 말까 하는 남자애가 내게 다가와 대뜸 묻는다.

"누구예요?"

나는 되묻는다. "넌 누군데?"

걔가 대답한다. "나 승민이."

나도 대답한다. "나 슬아."

+ 위치 기반 데이팅앱. 상대의 사진과 짧은 소개 글을 확인한 뒤 마음에 들면 오른쪽으로 스와이프해 '좋아요'를, 그렇지 않으면 왼쪽으로 스와이프해 '거절'을 하는 직관적인 방식으로 운영된다. 이슬아는 이십대 중후반에 이 앱에 중독되어 손가락 건초염에 걸렸었다.

그렇게 통성명을 마쳤다. 승민이는 괜히 앞구르기를 하며 저쪽으로 이동한다. 관장님은 봉고차로 아이들을 데려다주러 나갔는지 안 보인다. 뻘쭘한 자세로 몸을 풀자 이십대 초반으로 보이는 여자 사범님이 이쪽으로 다가온다. 헐렁한 티에 도복 바지를 대충 입고 있는데도 단단하고 강한 전신이 느껴진다. 사범님이 말한다.

"언니라고 부를게요."

나는 당황한다. 왜냐하면 언니라고 부르고 싶은 건 내 쪽이기 때문이다. 하지만 뭐라고 부르든 사실 사범님 마음인 데다가 내가 언니인 것도 사실이어서 정정하기 애매하다. 사범님이 줄넘기 줄을 건넨다. "언니, 일단 줄넘기 오백 개 하세요."

나는 줄넘기를 시작한다. 구보 뛰기로 한다. 오랜만이라 처음에는 좀 무겁게 뛰며 줄을 넘다가 백 개 넘어서부터는 요령이 생겨서 가볍게 슉슉 뛰며 줄을 넘는다. 오백 개를 채워가는데 아까 멀어졌던 승민이가 다시 앞구르기를 하며 가까이 다가온다. 그는 세차게 돌아가는 내 줄에 괜히 몇 번 맞으며 "아, 아!" 하고 소리친다. 걔 때문에 자꾸 줄이 걸린다. 그때 엄한 남자 목소리가 들려온다.

"승민이!"

구릿빛 피부의 관장님이다. 오후반 아이들을 하원시키

고 위엄 있는 모습으로 도장에 등장한 것이다.

관장님은 미트를 가져온다. 나는 그 앞에 선다. 그가 셀프로 미트를 차며 시범을 보인다.

"무릎을 딱 들고 발차기를 빡!"

그가 찬 미트에서는 깜짝 놀랄 만큼 커다란 마찰음이 난다. 똑같이 차봤지만 내 소리는 아주 미약할 뿐이다. 관장님이 말한다.

"파리채를 생각해봐요."

"파리채요?"

"파리채 기둥은 딱딱하단 말이에요. 근데 채 부분은 부드럽게 잘 휘어지죠?"

"네."

"그것처럼 무릎은 움직이지 않게 고정한 채로 발을 유연하게 쓰는 거죠. 파리채처럼 부드럽고 빠르게."

나는 파리채를 상상하며 발차기를 백 번 더 한다.

다음 날에는 문구점에 들러 줄넘기를 샀다. 도장에 비치된 어린이용 줄넘기는 길이가 짧아 불편했기 때문이다. 문구점에서는 한 무리의 여자 어린이들과 마주쳤다. 그들은 한 손에 아이스크림을 든 채 나를 보고 이렇게 외쳤다.

"어?!(나 저 언니 아는데. 우리 태권도장 다니는 언니잖아.)"

그게 다였다. 그들은 내게서 시선을 거두고 원래 보던 물건을 계속 보기 시작했다. 반짝이는 포장지에 싸인 액체 괴물 장난감에 그들의 시선이 고정되어 있었다. 사려는 것 같지는 않았다. 그들에겐 구매 결정권이 없을 것이다. 그저 바라보기만 할 뿐. 문구점 사장님은 저쪽 구석에서 무심하게 재고를 정리하고 있다. 아이들 입장에서는 얼마나 감사한 무심함인가. 바닥에 아이스크림 녹은 물을 뚝뚝 흘리며 사지도 못할 장난감을 하염없이 구경하는 어린이들을 그냥 두는 건 문구점 사장님의 최고 미덕일지도 모른다. 사장님의 너그러움 덕분에 아이들 머릿속에서는 온갖 해괴한 모양의 액체괴물이 쫀득쫀득하게 움직이고 있다. 그들 턱에 걸린 마스크의 가장자리는 아이스크림 색소로 살짝 물들어 연두색이 되었다.

도장 문을 열면 함성이 쏟아진다. 얇지만 시끄러운 목소리다. 그곳에도 젊은이는 없다. 오직 어린이들뿐이다. 나는 이 태권도장의 유일한 성인 회원. 나만을 위해 성인부가 개설되는 이변은 일어나지 않을 것이다. 도장 입구에는 감시카메라처럼 생긴 발열체크 기계가 있는데 아이들은 그 앞을 어슬렁거리며 수시로 자신의 체온을 잰다. 이마를 댔다가 손목을 댔다가 눈알을 대면서 온몸의 온도를 확인하려고 든다. 한 명이 그러기 시작하면 열 명이 앞다퉈 따라 한다. 그러다 사십대 관장님의 천둥 같은 호령이 내리친다. "야야야, 한 사람에 한 번씩만 햇-!" 마스크를 쓴 애들이 사방으로 흩어진다. 그들은 자고 일어나면 키가 커져 있을 것만 같다.

내가 줄넘기를 하는 동안 어린이들이 술래잡기를 한다. 술래를 피해 전력 질주하여 도망치는 방식인데 도장은 커다란 직사각형 모양의 원룸이라 숨을 곳이 따로 없다. 그래서 어린이들은 나의 존재를 장애물처럼 이용하며 술래잡기를 한다. 나는 같은 자리에서 십 분 넘게 줄넘기를 하니까 그들 입장에서는 기둥과 다름없다. 아이들은 나를 축으로 회전한다. 술래와 도망자가 내 주변을 빙글빙글 돌며 쫓고 쫓긴다. 이때의 나는 작가도 아니고 선생님도 아니고 언니도 아니고 누나도 아니고 그냥 믿음직스러운 기둥이다. 놀이가 격렬해지면 술래가 발을 헛디뎌서 내 몸을 치기도 한다. 그럼 나는 줄에 걸리고 만다. 여자 사범님이 나타나서 엄한 목소리로 경고한다.

"언니 운동하는 거 방해하지 말랬지. 멀찌감치 떨어져서 놀아."

나는 다시 기둥에서 언니가 되고 어린이들은 내게서

멀어졌다가 또 금세 다가온다. 사범님의 경고를 망각해서다. 결국 사범님은 내 주변에 벽돌을 쌓는다. 스티로폼 모양의 가벼운 벽돌. 줄넘기하는 언니를 방해하지 말라는 의미다.

"여기 넘어오지 마. 알았어?"

사범님이 강조하자 아이들이 대충 "네" 하고 대답한다. 사범님은 자신의 경고가 충분히 전달되지 않았음을 감지하고 조건을 추가한다.

"여기 넘어오면……"

넘어가면 어떻게 되는가? 아이들의 시선이 사범님에게 쏠린다. 사범님이 아무렇지도 않게 말한다.

"넘어오면 확 뽀뽀해버린다."

아이들이 외마디 비명을 지른다. 악! 웩! 꺄! 그들은 매우 신나게 싫은 척을 한다. 벽돌 경계 가까이에 일부러 얼씬대면서 닿을락 말락 한 아슬아슬함을 즐긴다. 사범님의 눈치를 적극적으로 살피며 뽀뽀를 당할지도 모르는 위험한 상태를 만끽한다. 사범님은 근엄한 표정으로 언제든지 뽀뽀할 태세를 취하고 있다. 나는 그저 경계의 벽돌 안에서 마스크를 쓴 채 줄넘기와 버피테스트를 반복한다.

줄넘기를 마치면 관장님은 온갖 창의적인 방법으로

우리들의 체력을 소진시킨다. 누군가를 지치게 하기 위한 도구가 도장에는 즐비하다. 나는 어린이들과 섞여서 미트를 수백 번 차고 줄사다리를 넘고 앞으로 구르고 뒤로 구르며 오십 분간 열렬히 지친다. 그사이 꼭 한두 명이 울음을 터뜨린다. 신나게 뛰다가 넘어져서다. 딱히 대단한 부상은 아니다. 발목을 살짝 접질리거나 무릎에 찰과상을 입는 경우다. 부상 입은 아이는 입을 땅콩 모양으로 하고 운다. 우느라 어딜 다쳤는지 말을 못 한다. 그저 발목을 끌어안고 세상에서 가장 서러운 이처럼 흐느낀다. 이때도 관장님의 호령이 내리친다. "어디가 아픈지 말을 햇-!" 그럼 아이는 정신을 차리고 자신의 부상에 관해 설명한다. 관장님은 놀라지 않고 구급약통을 가져온다. 어렸을 때 나도 그와 비슷한 상처를 입었던 것 같다. 어린이들은 수없이 다치며 젊은이를 향해 간다. 같은 방식으로 다쳐도 언젠가는 울지 않을 것이다.

그 밖에도 관장님과 사범님은 많은 것을 수습한다. 어떤 어린이가 바닥에 지려놓은 오줌을 닦기 위해 걸레를 빨아오고, 의기소침한 어린이를 똥 얘기로 웃게 만들고, 마스크와 손소독제를 수시로 챙기고, 국기원 심사를 앞둔 아이들의 일정을 체크하고, 멀리 사는 아이를 봉고차로 데려다

주고, 가까이 사는 아이가 집에 가는 경로를 확인해주고, 학부모님들에게서 걸려오는 전화를 받고, 아이들이 쓴 종이컵을 분리수거하고, 집에 안 가고 싸우는 애들을 중재시킨다. 관장님의 목소리는 언제나 쩌렁쩌렁하다. 단단히 화가 난 듯한 모습이다. 하지만 내용을 들어보면 묘하게 칭찬이다.

"예진이! 너 동생을 왜 이렇게 잘 챙겨!"

아이를 배웅하면서도 엄한 목소리로 격려한다.

"성권이! 내일도 오늘처럼만 하면 돼!"

꼭 혼내는 표정으로 그러나 다정하게 수십 명의 어린이를 챙기는 관장님을 구경한다.

그 한복판에 내가 있다. 이 모든 난리 속에서 품새와 발차기를 익히는 나. 요즘엔 자고 일어나면 배가 십일 자로 움푹 파인다. 헬스장에서도 요가원에서도 만들어지지 않았던 복근이다. 젊은이는 어린이들의 뒤꽁무니를 쫓으며 튼튼해진다.

요가원에서

이 동네엔 요가원이 하나뿐이고 나는 그곳의 유일한 젊은이다. 젊은이란 등이 시원하게 파인 민소매 나시 혹은 탱크톱을 입고 요가를 하는 수강생을 말한다. 선생님의 지도를 중도 포기 없이 따라가는 수강생을 의미하기도 한다.

수강생의 평균 연령은 사십대 중반이다. 육십대 수강생도 계신다. 모든 요가원이 그러하듯 이곳에도 약간의 자리싸움이 있다. 젊은이들이 많은 요가원에서는 서로 앞줄에 앉기 위해 매트로 자리를 찜해놓는다. 하지만 이곳 여자들은 서로 뒷줄에 앉으려고 난리다. 거울로부터 먼 자리 말이다.

그 사실을 몰랐던 내가 등원 첫날 겸손하게 뒷줄에 앉자 터줏대감으로 보이는 여자가 이러면 곤란하다는 표정으로 웃었다. 나는 어쩔 수 없이 매트를 들고 슬금슬금 앞줄로 이동했다. 앞줄은 명당자리인데 신참인 내가 앉아도 되나. 하지만 앞줄을 선호하는 건 나뿐이었다. 선생님이 들어올 때까지도 앞줄은 텅텅 비어 있었다. 선생님은 거울을 등지고 앉아서 오래된 수강생들을 향해 부드럽게 타박했다.

"왜 또 다들 뒤로 가셨어요. 앞으로 좀 오세요."

뒷줄의 중년 언니들이 손사래 쳤다. "괜찮아요."

선생님이 재차 설득했다. "자기 자세를 가까이서 보시면 좋잖아요."

언니들은 웃으면서도 단호하게 거절했다. "멀리서 보는 게 더 좋아요."

그렇게 나는 앞줄의 우등생으로 지낸다. 앞줄에 앉은 자로서, 최연소 수강생으로서, 또한 가장 헐벗은 젊은이로서 몹시 의욕적으로 선생님의 가르침을 따른다. 이곳에서 물구나무를 가뿐히 서는 사람은 나뿐이다. 양다리를 일자로 찢으며 박쥐 자세를 하는 사람도, 몸을 무지개처럼 거꾸로 꺾는 사람도 나뿐이다.

선생님이 시키는 고난도의 자세를 해낼 때마다 뒷줄

의 언니들은 아낌없는 탄성을 보내준다. 가끔은 그저 재미난 구경을 하듯이 편하게 앉아 선생님과 나를 지켜보고 있다. 언니들의 기대에 부응하기 위해 용을 쓰다가 간혹 고꾸라진다. 젊음의 과욕 때문이다. 얼굴을 매트에 박으며 꽈당 하고 엎어진 뒤 머리를 긁적이며 일어나는 젊은이. 그게 바로 나다. 언니들은 결코 무리해서 자세를 취하는 법이 없다. 다치기 전에 진작 포기한다. 욕심내다 다치면 큰일이니까. 산뜻하게 포기하는 현명함이 뒷줄의 언니들에겐 있다.

그들 중 몇몇은 육아 중이다. 아이를 등교시킨 뒤 오전 열 시 수업을 들으러 온다. 코로나 시절에는 학교에 가지 못한 아이를 챙기느라 아침이 분주해서 못 오기도 했다. 그런가 하면 아이를 데리고 수업에 오는 언니도 있다. 초등학생 아이는 엄마가 요가를 하는 동안 탈의실에서 잠자코 책을 읽거나 스마트폰 게임을 한다. 요가 선생님은 그 아이를 위해 탈의실 바닥을 따끈하게 데워놓는다. 사실 탈의실에 가장 자주 머무는 건 요가 선생님의 아이들이다. 선생님에겐 세 명의 아이가 있는데 첫째와 둘째는 초등학생, 셋째는 유치원생이다. 수업 중에 절대 떠들지 말라는 신신당부를 엄마로부터 몇 번이나 듣고 요가원에 쫄래쫄래 따라온다.

요가 선생님 역시 사십대 중반의 여자다. 소탈하고 편안한 기운이 흐르는, 다부진 신체와 안정적인 항상성을 지닌 선생님이다. 처음 본 순간부터 나는 그 여자를 좋아하게 되었다. 그의 목소리는 지나치게 가볍지도 않고 지나치게 요가적으로 고상하지도 않다. 그러면서도 수강생에게 적절한 긴장과 이완을 준다. 수업 초반엔 늘 짧은 명상을 하는데 허리를 곧게 펴고 눈을 감은 수강생들에게 선생님은 부드러운 말들을 천천히 건넨다.

"편안하게 숨 쉬세요. 분주한 일상을 잠시 내려놓고, 그저 가만히…… 나를 들여다보세요."

그러다가 갑자기 탈의실에서 꽥꽥하는 괴성이 들려온다. 선생님의 삼 남매가 흥분하여 떠드는 소리다. 선생님은 "잠시만요……" 하고 일어난다. 탈의실로 간 그는 아이들에게 복식호흡으로 한 글자를 내뱉는다.

"야-!"

엄마의 묵직한 불호령에 아이들은 순식간에 조용해진다. 수강생들도 덩달아 더욱 숨죽인다. 선생님이 다시 평온한 얼굴로 돌아와 부드러운 목소리를 낸다.

"자, 다시…… 호흡에 집중하시고……"

그러다가 선생님은 거울 속 자신을 보며 갑자기 막 웃

는다. "약간 지킬 앤 하이드 같죠?"

사실 다들 비슷한 생각을 하고 있었다. 웃느라 모두의 명상이 중단된다. 그때부터 이야기가 시작되는 것이다. 애를 어쩌다 셋이나 낳게 된 건지, 세 번의 분만 중 언제가 가장 고생스러웠는지, 무술감독인 남편과 어떻게 만났는지…… 엄마도 아빠도 육체파여서 애들이 공부랑은 거리가 멀 것 같다고, 그래도 상관없다고, 건강하기만 하면 좋겠다고, 일단 우리나 건강하자고, 요가나 하자고…… 한바탕 수다 이후 요가는 다시 이어진다.

목요일에는 인사이드 플로 수업을 한다. 노래에 맞춰서 빈야사 동작을 연속적으로 이어나가는 수업이다. 안무는 마치 요가로 춤을 추는 듯해서 아름답다. 문제는 노래다. 보통의 요가원에서는 가사 없는 불교 음악이나 모던한 팝송을 배경 음악으로 쓰는데 우리의 요가 선생님은 꼭 발라드곡을 택한다. 애절하게 사랑과 이별을 부르짖는 전형적인 K-발라드를 망설임 없이 재생시킨다. 방금 헤어지고 온 한국 드라마에 깔릴 법한 피아노 반주가 요가원에 울려 퍼진다. 나는 주위를 둘러본다. 이 반주를 듣고 팔뚝에 닭살이 돋는 건 나뿐인가. 언니들의 표정은 평온해 보인다. 물론 발라드는 아무 죄가 없다. 하지만 아무리 우아하고 건강한 요가 동작일지라도 발라드에 맞춰 움직이면 전혀 다른 맥락을 가지게 되는데……

그러나 나는 앞줄의 우등생. 어려서부터 선생님 말씀을 충실히 따랐다.

테이블 포즈에서 소 자세를 취한다. (사랑에 연습이 있었다면 우리는 달라졌을까) 고양이 자세로 연결한다. (내가 널 만난 시간 혹은 그 장소) 아기 자세를 한다. (상황이 달랐었다면 우린 맺어졌을까) 개 자세로 연결한다. (하필 넌 왜 내가 그렇게 철없던 시절에) 오른발을 뒤로 번쩍 들어서 오른쪽 겨드랑이에 가져다 댄다. (나타나서 그렇게 예뻤니) 비둘기 자세로 연결한다. (너처럼 좋은 여자가 왜 날 만나서) 가슴을 활짝 열고 천장으로 고개를 꺾는다. (과분한 사랑 내게 줬는지) 양다리 뒤로 보내고 플랭크. (우리 다시 그때로 돌아가자는 게) 차투랑가로 연결. (그게 미친 말인가) 업 독에서 (정신 나간 소린가) 다운 독으로 연결. (나는 더 잘할 수 있고) 전사 2번 자세로 힘차게 일어난다. (자신 있는 데 그게 왜 말이 안 돼) 삼각 자세로 연결. (시간이 너무 흘러 알게 되었는데) 한 다리로 몸을 지탱하며 반달 자세. (너를 울리지 않고 아껴주는 법) 양팔을 소중히 모아주며 힘껏 웅크린다. (세월은 왜 철없는 날 기다려주지 않고) 하늘 향해 몸을 쭉 늘렸다가 (흘러갔는지 야속해……+) 산 자세로 돌아온다. 숨을 고르며 가부좌를 튼다.

그렇게 1절이 끝나면 어느새 언니들과 슬아의 숨소리는 거칠어져 있다. 요가 동작 때문이기도 하지만 K-발라드의 절박한 정서를 불가피하게 흡수했기 때문이다. 나는 거울 속 나 자신이 조금 부끄럽다. 후렴구에서 더욱 격정적으로 움직여버린 스스로를 잊고 싶다. 하지만 이곳은 우리 동네의 유일한 요가원. 이 말도 안 되는 K-요가를 그저 받아들이기로 한다. 줄여서 쿄가라고 부르기로 한다. 이제 2절을 시작하자고 선생님이 말한다.

요가원 시간표에는 수업마다 레벨이 적혀 있다. 각각 얼마나 쉽거나 어려운지 난이도를 미리 일러두기 위해서다. 최저 레벨은 1이고 최고 레벨은 3이다. 한 번은 레벨 3짜리 아쉬탕가 수업을 들으러 갔는데 수강생이 나뿐이었다. 레벨 3에 도전할 만큼 호기로운 자가 없었던 것이다. 텅 빈 요가원에서 선생님과 덩그러니 마주 보고 아쉬탕가를 수련했다. 수업은 정원 미달로 일주일 만에 폐지되었다. 그 후 레

+ 이상, 2soo 작사·작곡, 임재현 노래, 〈사랑에 연습이 있었다면〉, 2018. KOMCA 승인필.

벨 2를 넘어서는 수업은 개설되지 않았다.

언니들은 가끔 레벨 2조차 부담스러워했다. 속 근육을 쓰며 느리게 움직이는 빈야사 수업이나 음악과 함께 복부를 단련하는 리드믹 코어 수업을 신음하며 수강한 뒤, 다음 날 출석하지 않는 식이었다. 레벨 2의 출석률이 낮아질 때마다 선생님은 탄식했다. "도대체 어디까지 쉬워져야 하나!"

가장 인기 있는 수업은 단연코 '힐링'이었다. 힐링 수업은 한 주를 시작하는 월요일이나 한 주를 마치는 금요일에 열리는데 매번 출석률이 높았다. 굳은 몸 여기저기를 살살 풀어주는 편안한 동작 위주로 진행되었기 때문이다. 스스로를 천천히 마사지해주는 시간 같기도 했다. 나는 힐링이라는 말을 잘 쓰지 않지만 언니들이 쓰는 건 좀 좋았다. 육십 분간의 힐링 수업이 끝나면 언니들은 "힐링됐다"고 말하며 요가원을 떠나곤 했다. 힐링 수업의 레벨은 물론 1이었다.

언니들의 동향을 파악한 요가 선생님은 레벨을 미묘하게 세분화했다. 1도 아니고 2도 아닌, 1.5짜리 수업을 개설한 것이다. 시간표를 본 언니들은 헷갈리기 시작했다. '1.5면 힘들다는 건가, 안 힘들다는 건가…… 2보다는 할 만하겠지……' 그런 식으로 레벨 1.5 수업의 출석률이 올라갔다. 레벨 2 수업에서 하던 것을 아주 조금만 덜어냈을 뿐인데 큰 불만 없이 레벨 1.5 수업을 따라오는 언니들이었다. 이를 본 선생님은 한술 더 떠서 수업의 이름도 모호하게 바꿨다. 힐링만 선호하고 빈야사나 아쉬탕가를 두려워하는 언니들을 현혹시키기 위해 새로운 수업명을 시간표에 적었다.

화요일: 힐링 빈야사(Lv. 1.5)

수요일: 힐링 아쉬탕가(Lv. 1.5)

언니들은 또다시 헷갈렸다. '힐링은 쉬운 거고 빈야사랑 아쉬탕가는 어려운 건데 이 수업은 쉽다는 건가, 어렵다는 건가…… 힐링이 들어갔으니까 아무래도 괜찮겠지……' 그런 식으로 화요일과 수요일의 출석률 또한 올라갔다. 무리라면 질색인 언니들이 주요 고객인 동네에서 선생님은 적당히 수강생을 속여가며 요가원을 운영했다.

이 모든 건 코로나 2단계 이전의 일이다. 사회적 거리두기 때문에 수업별 수강 인원이 대폭 줄어들 수밖에 없었다. 선생님이 직접 몸을 만지며 자세를 잡아주는 일도 중단되었다. 수업이 끝날 때마다 매트와 바닥과 기구를 소독하고 실내를 환기하느라 선생님은 몹시 분주했다. 십 년 넘게 요가를 가르쳐왔지만 마스크를 쓰고 하는 건 선생님으로서도 처음이었다. 도무지 적응되지 않을 것 같은 답답함에도 다들 어느새 적응해갔다. 마스크 쓴 채로는 숨차서 못 따라 하겠다고 말하던 언니들 역시 그럭저럭 익숙해진 듯했다. 하지만 방역 단계가 올라가면서 마스크를 쓰고도 만나기 어려워졌다. 선생님은 근심 속에서 휴원 조치를 내렸다.

모두가 요가원에 가지 않는 날들이 이어졌다. 휴원이 계속되던 2021년 9월, 선생님으로부터 장문의 단체 문자가 도착했다.

> 태풍이 지나가고 가을이 한 걸음 다가왔네요~♡ 모두 건강히 잘 지내고 계신지 모르겠어요. 9월은 요가하기 참 좋은 계절인데…… 참 안타깝고 그렇습니다.^^ 언제 다시 문을 여는지 많이들 문의 주시는데요, 긴 휴원 속에서 저도 고민이 깊네요~
> 저는 휴원을 결정할 때 세 가지를 생각했는데요. 첫째, 어린이 보육과 교육, 생계처럼 요가가 필수적인 활동인가…… 둘째, 환기와 소독을 잘 하더라도 실내 공간에서의 감염 위험을 철저히 퇴치할 수 있는가…… 셋째, 혹시나 요가 수업으로 코로나가 확산되면 그에

따른 죄책감과 후회를 내가 감당할 수 있는가…… 이 모든 질문에 자신이 없기에 휴원 일정을 더 연장할 수밖에 없음을 조심스레 말씀드려요. 너그러운 마음으로 조금 더 기다려주시고, 이 힘든 시절 함께 이겨 나가면 좋겠습니다……! 다시 문을 열면 그동안 못한 만큼 더욱 정성을 다해 요가 수업에 임할 것을 약속드립니다.♡

하트로 시작해서 하트로 끝나는 선생님의 문자를 읽는데 어째서 마음이 아파오는가. 요가를 못 하는 것 정도는 코로나로 인한 온갖 난리와 불행의 축에도 못 끼는 일인 데다가, 선생님 말대로 요가는 생의 필수적인 활동도 아니지만…… 그래도 서글픈 시절이었다. 선생님의 일상을 생각하느라 마감 중인 원고가 손에 잡히지 않았다. 요가원 월세는 몇 개월째 나가고 있을 텐데 어떻게 감당하고 계시려나. 선생님의 삼 남매는 잘 지내려나. 무술감독인 남편분의 수입도 끊겼으면 어쩌나. 그런 생각들을 하다가 집에 있는 빵을 쇼핑백에 잔뜩 싸서 요가 선생님네 집 앞에 놓아두었다. 살짝 들여다보이는 집 안에는 아이들이 가지고 놀았을 색색의 장난감들이 여기저기 놓여 있었다. 선생님이라면 이 시절에도 아이들과 누릴 수 있는 것들을 감사히 여기며 지낼지도 모르겠다고 생각했다.

그리고 며칠 뒤, 마스크를 쓰고 쇼핑백을 든 선생님이 우리 집 앞에 나타났다. 진작에 싸놨던 건데 요가원 문을 닫아서 못 전해주었다고 말하며 그것을 건넸다.

"제가 이십대 때 입었던 요가복이에요. 요새 입기엔 좀 부담스러워서 빼놨는데 슬아씨라면 잘 입을 것 같아요. 근데 혹시 헌 옷 입는 것을 별로 안 좋아하시면……"

"선생님, 저 헌 옷 입는 거 좋아해요. 옷장에도 새 옷보다 헌 옷이 많고요. 쇼핑도 주로 당근마켓에서 해요."

쇼핑백을 열어보니 이런저런 요가복이 한 보따리였다. 그가 요가 선생님이 되기까지의 세월을 함께했을 옷들이었다. 마스크 위로 애틋하게 서로를 바라보았다. 둘이 동시에 "힝~" 하고 소리를 내며 발을 동동 굴렀다. 그러다 눈물도 찔끔 났다.

요가 선생님으로부터 물려받은 요가복을 입고, 집에서 혼자 요가를 하며 지낸다. 유튜브에도 훌륭한 요가 선생님들이 많다. 그들이 자신의 능력을 너무도 친절하게 나눠준다는 게 너무나 감사한 시대다. 진짜로 만날 수는 없지만 말이다. 언제 다시 문을 열지 모르는 요가원에서도 앞줄의 미더운 젊은이가 되기 위해 혼자서도 수련을 이어갔다. 유튜브 속 요가 선생님들은 우리 동네 요가 선생님과 달리 K-발라드 같은 건 절대 틀지 않는다. 세련되고 차분한 음악 속에서 요가를 지도한다. 그들과 함께라면 나는 쿄가를 하지 않을 수 있다. 난이도도 내 멋대로 조절할 수 있다.

한편, 사바아사나로 수업을 아름답게 마무리한다는 점에서 요가 선생님들은 닮았다. 온몸에 힘을 빼고 바닥에 누워 눈을 감는 송장 자세를 취한다. 늘리고 버티고 힘을 쓰느라 달궈졌던 몸을 차분히 식히는 시간이다.

고작 오 분간의 사바아사나지만 나는 매번 멀리 다녀온다. 과거로도 가고 미래로도 간다. 가보지 않은 대륙으로도 가고 아직 쓰지 않은 글도 상상한다. 그러다 울음이 날 때도 있다. 생이 끝난다는 것을 생각하다가 그렇게 된다. 지금 누워 있는 자세처럼 언젠가 송장이 될 나를 생각하고 마찬가지로 유한하고 허망한, 사랑하는 이들의 몸을 생각한다. 함께 살았던 고양이 탐이도 생각한다. 죽은 탐이의 몸이 얼마나 빨리 딱딱해졌는지도 생각한다. 여전히 나는 죽음이 무엇인지 너무 모른다. 그저 나중에 꼭 그렇게 된다는 것만 안다. 송장 자세로 누워 그 사실을 기억한다. 사바아사나 속에서 죽음에 대한 상상력에 속절없이 끌려가고 사로잡힌다.

그러다 요가 선생님이 작게 징을 치는 소리가 들리면 다시 생의 시간으로 돌아오곤 했다.

누워 있는 수강생들의 인중 위에 허브 오일을 한 방울 묻혀주던 요가 선생님을, 홀로 사바아사나를 마치면서 떠올린다. 누구의 명상도 방해하지 않도록 발소리를 죽이며 걸어 다니던 사람. 누워 있는 동안 소리 죽여 우는 내 모습도 늘 못 본 척해주던 사람. 오 분이 지나면 조심스레 사람들을 일으키고는 아침에 채운 이 힘으로 오늘 하루도 잘 지내시라고 말하던 사람.

그 사람 덕분에 슬픔 없이 눈물을 닦아낸 뒤 "힐링됐다"고 말하는 언니들 사이를 빠져 나와 씩씩하게 하루를 시작했었다. 알 수 없는 그런 힘을 요가원에서는 매일같이 얻을 수가 있었다. 그곳의 문이 다시 열린다면 이전보다 조금 더 통통해지고 조금 더 뻣뻣해졌을 언니들과 함께 쿄가 마저도 기쁘게 따라 할 것이다.

종이책의 미래

기자 한 분이 출판사로 찾아왔다. 종이책의 미래에 관한 인터뷰였다. 기자님께 차와 과일을 대접하며 마주 앉았다.

그는 나에게 종이책과 출판에 관한 여러 질문을 건넸다. 헤엄 출판사가 2019년 출판인들 사이에서 촉망받는 신진 출판사로 꼽혔기 때문인 것 같았다. 하지만 헤엄 출판사는 언제 문을 닫아도 이상하지 않을 만큼 헐렁하게 운영되는 사업장이었고, 나는 종이책의 미래 같은 건 알지 못했다. 내가 열띠게 얘기하고 싶은 건 종이책이 아니라 오히려 넷플릭스와 왓챠플레이와 게임 산업이었다. 그곳에서 좋은 이야기들이 너무나 빠르게 그리고 너무나 고퀄리티로 생산되고 있었다. 미래도 아니고 이미 도래한 현실이었다. 한 주 동안 심취했던 드라마에 관해 기자님께 설명했다.

"혹시 영국 드라마 〈이어즈 & 이어즈〉 보셨나요? 정말 정말 대단하더라고요. 2020년부터 2030년까지의 근미래를 그리는데요. 굉장했어요. 무섭고 끔찍한 동시에, 가슴이 벅차오르는 드라마예요. 이야기의 최전선이 죄다 OTT로 옮겨간 것일지도 모르겠어요. 저는 종이책을 사랑하지만 헤엄 출판사가 조만간 망해도 놀라지 않을 거예요. 출판사가 망하면 그때그때 할 수 있는 일을 찾아 열심히 해야죠. 작가로서 도태될 거라는 생각도 해요. 그래서 요가 지도자 자격증을 따는 것을 고려해보고 있고요…… 종이책뿐 아니라 기후의 미래도 암담하니까 텃밭 농사가 필수일 것 같아요."

그 외에도 나는 생각나는 대로 아무 대답이나 하며 인터뷰의 흐름을 탔다. 종이책의 미래만 빼고 모든 것에 대해 말한 느낌이었다. 책상에 놓인 기자님의 아이폰 속 녹음앱이 돌아가고 있었다. 인터뷰는 한 시간 반 동안 이어졌다. 스물다섯 번째 질문을 마친 기자님이 자리를 정리하며 말했다. "이것으로 인터뷰를 마치겠습니다. 수고하셨어요." 내가 말했다. "먼 길 오시느라 고생하셨습니다. 안녕히 가세요."

기자님이 녹음 종료 버튼을 누르고 헤엄 출판사를 떠났다. 나는 찻잔을 치우고 곧바로 다른 일을 시작했다. 다른 사람에 대한 인터뷰는 몰라도 나에 대한 인터뷰 같은 건 오래 곱씹지 않는 게 정신건강에 좋다. 곱씹어봤자 스스로가 싫어질 뿐이다. 조금 전의 대화를 서둘러 떠나 새로운 텍스트에 골몰했다. 곧 일간 연재가 시작되는 터라 쓸 것도 많고 읽을 것도 많고 연락할 사람도 많았다.

기자님으로부터 문자가 온 것은 한 시간 뒤였다.

> 작가님. 오늘 이야기 나눠서 즐거웠습니다. 그런데 돌아가는 길에 녹음 파일을 확인해보니 아이폰에 무슨 문제가 있었는지 녹음이 전혀 안 됐네요…… 제 기억으로 원고를 쓰기엔 작가님 의견이 정확히 전달될 것 같지 않아 조심스럽습니다. 인터뷰 자리에서 이런 실수를 했다는 게 너무 염치없습니다만, 괜찮으시면 서면으로 다시 모든 질문에 답변을 받아도 될까요? 바쁘신데 이런 수고를 드려도 괜찮을지 여쭙고자 합니다.

나는 속으로 소리쳤다. '아니오! 전혀 괜찮지 않습니다!'

인터뷰어로 일할 때면 언제나 두 개의 기기에 녹음을 해둔다. 혹여나 하나의 기계에서 오류가 나거나 파일이 날아가버릴지도 모른다는 우려 때문이다. 인터뷰이의 대답은 토씨 하나에 따라 뉘앙스가 완전히 달라질 수 있으니 정확한 전달을 위해서라면 녹취록을 근거로 인터뷰를 정리하는 게 최선이지 않은가. 이 과정에서는 녹음 파일 확보가 매우 중요하다. 그래서 가능하면 꼭 이중으로 녹음해두는 게 나의 원칙이었다. 기자님은 아이폰만을 믿었건만 아이폰은 그를 배신해버렸다. 그러나 어떻게 아이폰에게 책임을 물을 수 있겠는가! 이 모든 게 디지털의 문제 아닌가! 기자님께서 만약 종이에 인터뷰를 메모했다면 이토록 허망하고 깨끗하게 기록이 사라지지는 않았을 텐데! 모든 질문을 처음부터 내가 다시 적어야 한다니, 그건 원고 마감과 똑같지 않은가! 마감은 약소하게나마 원고료라도 있지, 서면 인터뷰는 땡전 한 푼도 못 받는데!

기억을 되살릴수록 딱히 중요한 말을 한 것 같지도 않아서 그냥 내 인터뷰를 빼달라고 요청하고 싶은 마음이 굴뚝같았으나 기자님의 사정은 그렇지 않을 것이었다. 어쨌든 녹음 파일은 이미 날아가버린 뒤였고 기사는 쓰여야 했으니 빠르게 답장을 했다.

기자님! 우선 기자님께서 기억하시는 만큼 저의 대답을 작성하시지요. 그렇게 인터뷰의 초고를 만들어주시면 부족한 부분은 제가 추후에 상세히 보완하도록 하겠습니다…… 그런데 어찌 보면 그 초고가 이 인터뷰의 진정한 결과라는 생각도 듭니다. 기자님께서 진짜로 기억하시는 부분만 남을 테니까요. 아무쪼록 최대한 많이 기억나시기를 바랍니다. 진심으로 응원합니다!

기자님께서는 알겠다고, 감사하다고 대답했다. 한편으로는 우리가 중구난방으로 이야기를 주고받은 한 시간 반짜리 빽빽한 대화를 그가 얼마나 기억하고 옮겨 적을지 궁금했다. 내가 기자님이라면 지금 당장 버스에서 내려서 아무 곳에나 자리를 잡고 노트북을 켠 뒤 두 시간 전의 대화를 기억나는 대로 모조리 옮겨 적기 위해 노력할 것이었다.

이틀 뒤 기자님으로부터 이메일이 왔다. 내 정처 없는 대답들이 얼마나 축소되고 생략되고 왜곡된 채로 옮겨 적혀 있을지 걱정하며 초고 파일을 열어보았다.

원고는 생각보다 무척 길었다. 무려 여덟 쪽이나 되었

다. 그리고 나의 대답은 놀랍게도 실제 대화 내용과 흡사하게 거의 다 옮겨 적혀 있었다. 아이폰이 먹통이 되고 녹음 파일이 날아갔어도 꽤 정확한 인터뷰 초고가 작성될 수 있었던 것이다. 그러니까 우리 사이에 무슨 이야기가 있었는지 세세하게 기억하는 능력이 가동된 것이었다. 그제야 나는 종이책의 미래에 대해 그에게 하고 싶은 말이 생겼다.

> 기자님, 종이책이 사라지기까지는 오랜 시간이 걸릴 것만 같습니다. 망각의 능력뿐 아니라 기억의 능력 또한 우리에게 있기 때문이고, 어떤 이야기는 디지털로 기록될 수 없기 때문입니다. 디지털 기기가 먹통이 되었을 때조차도 인류는 끊임없이 이야기를 계속하겠지요. 잊지 않으려는 의지가 계속되는 한 종이책은 미약하게라도 계속될 것입니다. 그러다가 만약 종이책마저 사라진다면 우리는 진정 기억의 천재가 될지도 모르겠어요. 기자님의 초고를 보며 그런 미래를 처음으로 낙관해보았습니다……!

아이폰이 망가진 덕분에 자기도 모르게 기억의 천재가 된 기자님께 감사하다고 거듭 말했다. 지난 백 번의 인터뷰 중 그는 내 이야기를 가장 절실하게 기억한 한 사람일 것 같았다.

판권면의
얼굴들

책의 맨 뒷장을 판권면이라고 부른다. 편집자들의 이름은 그곳에 적혀 있다. 작은 글씨로 말이다. 나는 그 글씨의 크기가 언제나 너무 작다고 느낀다.

《날씨와 얼굴》이 인쇄되던 날, 차를 몰고 위고 출판사로 갔다. 그곳에는 세 명의 편집자와 세 개의 책상이 있다. 비슷한 크기의 책상들이지만 그 위 풍경은 제각각이다.

첫 번째 편집자 조소정의 책상은 질서정연하다. 모든 것이 반듯하게, 한 치의 오차도 허용하지 않은 채로 각 맞춰 놓여 있다. 서류들을 흐트러짐 없이 쌓아둔 것은 물론이고 참고 도서는 장르별로 차곡차곡 분류해놨으며 연필과 색연필도 완벽히 뾰족하게 깎아두었다. 극도의 깔끔함이다. 누군가는 지나치다고 느낄 법하지만 내 가슴은 반가움에 출렁인다. 조소정의 책상이 나의 책상과 매우 흡사하기 때문이다. 우리는 물건의 각을 똑바로 맞추거나 먼지 한 톨 없이 깨끗하게 닦는 일에 쾌감을 느끼는 부류인 것이다.

두 번째 편집자 이재현의 책상은 확연히 다르다. 교정지와 볼펜이 자유롭게 흐트러져 있고 데스크톱 주변엔 장난감 애호가들끼리만 알아볼 법한 피규어 수십 개가 즐비해 있다. 불필요한 것들을 죄다 소거한 조소정의 것과는 거리가 멀다. 하지만 자세히 보면 이재현 역시 그것들을 무작위로 늘어놓지는 않았다. 나름의 질서가 있는 듯하다. 어째서인지는 모르겠는데 그는 접착제를 사용하여 모든 피규어들을 바닥에 붙여놨다. 바로 그 자리에 고정되어 있어야만 한다고 결정한 게 분명하다. 책상 위에 접착제를 바를 때 무슨 기준으로 위치를 정했을까. 혹시 흐트러짐에도 어떤 완벽이 있을 수 있는 것일까.

세 번째 편집자 조형희의 책상은 그 중간이다. 조소정처럼 깔끔하지도 이재현처럼 특이하게 자유롭지도 않은 모습을 하고 있다. 언뜻 보면 평범해 보인다. 하지만 그 적당한 정도가 심상치 않다. 뭐랄까…… 지나치게 적당해서다.

유별나지 않음을 이토록 능숙하게 구현한다니 흥미롭지 않은가. 그 와중에 무심히 놓은 듯한 필통의 각도가 정확히 사십오 도다. 필통을 대충 놓을 경우 웬만해선 그 각도가 나올 수 없다. 중도를 지키는 듯해도 숨길 수 없는 결벽이 삐져나오는 것이다.

세 개의 책상을 둘러본 뒤 생각한다.

역시 다들 이상하구나…… 나처럼 말이다.

모두가 조금씩 집요하고 우스꽝스러운 구석을 지녔다는 사실에 나는 안도한다. 책 만드는 자들은 어떤 결벽과 강박을 공유할 수밖에 없다. 교정교열과 윤문과 조판과 편집이 그런 작업이다. 텍스트의 오류를 제거하는 일 역시 극도로 치밀한 집착을 필요로 한다. 애초에 직육면체 모양의 물성에 매달리고 그 안에서 최고를 추구한다는 점부터 예사롭지 않다.

이 일에 관한 한 세 사람은 모두 베테랑이다. 편집자라는 직함이 널리 쓰이기 이전부터 편집 일을 익혔다. 그들이 출판계에 몸담은 지 이십 년이 다 되어간다. 정처 없이 세상을 떠돌던 원고도 그들을 만나면 쓸모를 찾고 근사한 책이 되곤 한다.《날씨와 얼굴》또한 그들의 특수한 결벽적 기질 속에서 다듬어졌다. 그들은 나를 쓰게 하고 고치게 하고 두렵게 하고 뿌듯하게 하는 자들이다.

당연한 사실이지만 그들도 한때 어린이였다.

사십대를 보내고 있는 편집자 조형희가 말한다.

"우리 때는 초등학교 입학식 준비물이 손수건이었어요. 애들이 콧물을 하도 많이 흘려가지고, 그거 닦으라고 오른쪽 가슴팍에 손수건을 옷핀으로 꽂아서 달아줬거든요."

마찬가지로 사십대인 편집자 조소정과 이재현이 덧붙인다.

"초등학교가 아니라 국민학교 때겠지."

"맞아요. 국민학교 1학년 필수품이었어."

"요즘 애들은 이상하게 콧물을 별로 안 흘리더라."

"그러게요. 우리 어렸을 때가 더 추웠나?"

홀짝홀짝 차를 마시며 세 사람은 격세지감에 잠긴다.

콧물 닦던 손수건에서 시작된 수다는 어쩌다 보니 재질이 비슷한 천 기저귀에 대한 회상으로 넘어간다. 신생아를 키우던 십 년 전 이재현은 부지런한 초보 아빠로서 천 기저귀 사용을 고집했다. 일회용 기저귀가 아기 피부에 해로울 수 있다는 우려 때문이었다.

"근데 아기가 생각보다 똥을 엄청 많이 싸더라고요. 똥 기저귀가 하루 만에 수북이 쌓여 있어."

아이를 키워본 적 없는 내가 묻는다.

"그래도 빨고 나면 기분 좋지 않았어요?"

이재현이 대답한다.

"아니. 딱히 좋지는 않았어요. 내가 뭐하는 사람인지 모르겠던데?"

너무나 정직한 대답에 우리는 박장대소한다. 한바탕 웃은 뒤에 이재현이 말한다.

"그래도 정말 재밌는 시간들이었어. 아이 키우는 거요."

옆에서 스마트폰을 만지던 열두 살 이제하가 이르듯이 나에게 말한다.

"아빠는 놀릴 사람이 생겨서 재밌다고 말하는 거예요. 저를 맨날 엄청 놀리거든요." 이제하는 이재현과 조소정의 아들이다. 기저귀의 시절을 한참 지나 이제는 나에게 글쓰기 수업을 듣는 학생이기도 하다. 이제하의 얼굴에서 내가 사랑하는 두 편집자의 눈, 코, 입을 동시에 본다. 유전자란 정말 신비롭다. 그는 엄마와 아빠가 만드는 책들을 어깨 너머로 구경하며, 수학 숙제와 영어 숙제를 풀며, 같이 놀자고 현관문을 두드리는 이웃집 친구의 부름에 달려나가며, 참말인지 거짓말인지 구분하기 어려운 아빠의 농담을 눈치껏 분석하며 무럭무럭 자라는 중이다. 편집자이자 양육자인 이재현이 내게 한 번 더 강조한다.

"조심스러운 얘기지만, 아이를 낳고 기르는 건 정말 좋아요. 어렵긴 해도요. 저는 정말 추천하고 싶어요."

그의 말이 너무 진심이어서 나는 생각에 잠긴다. 진짜로 그렇게 좋으려나. 미래를 이리저리 상상해보는데 옆에서 가만히 듣던 열두 살 이제하가 이렇게 말한다.

"아빠. 나 지금 완전 감동받았어."

그 순간 내 마음 한편에 커다란 종이 울린다. 이제하의 말은 이런 의미이기 때문이다. '나와의 시간이 그렇게 좋았다니. 소중한 사람에게 진심으로 추천할 정도라니…… 완전 감동이야.' 태어나고 자란 어린이가 어른에게 그런 말을 돌려준다. 나는 두 세대 사이로 넘실거리는 사랑을 본다. 이상한 어른인 나도 언젠가는 그 파도를 타게 될까.

지나간 육아 시절을 회상하며 조소정이 이야기한다.

"아이들은 어른들 곁에서 노는 걸 좋아해요. 혼자 놀 때조차도 어른이 느슨하게 지켜봐주길 바라거든요. 적어도 어느 시점까지는 그렇죠."

내가 중얼거린다.

"꼭 작가들 같네요."

편집자의 응시 없이 완성되는 원고는 없으니 말이다. 자신을 기다리고 기대하는 존재들 때문에 작가는 겨우 쓴다. 실망시키고 싶지 않은 마음, 잘 해내는 걸 보여주고 싶은 마음은 언어를 배우기 이전부터 우리 안에 태동했을 것이다.

어린이가 미지의 어른을 품고 자라나듯, 어른도 지나간 어린이를 품은 채로 살아간다. 어쩌면 유년은 영원히 반복되는 일인지도 모르겠다. 내 글의 빈틈을 언제나 찾아내고 메꿔주는 엄격한 편집자들, 나보다 한 세대 앞서 생을 겪어온 베테랑 편집자들도 예전엔 콧물 흘리는 어린이였다고 생각하면 어쩐지 엄청나게 웃기고 애틋한 마음이 된다.

한때 어린이였던 우리가 모여 책을 만든다. 각자의 고집대로 정돈한 책상 위에서 문장 하나, 단어 하나, 마침표나 쉼표 하나에 매달리며 일한다. 종이책 읽는 독자들이 갈수록 줄어드는 이 시대에도 우리가 추구하는 것은 늘 최고의 책이다. 책을 만드는 우리의 마음속엔 어린이도 있고 할머니도 있다.

판권면에 조그맣게 적힌 편집자들의 이름에서 이런 이야기들을 본다. 아무리 크게 써도 그 이름들은 작아 보일 것이다.

마감을
감당하는
이에게

친구들 사이에서 나는 맨날 감사하는 애로 알려져 있다. 거의 모든 대화를 '그래도 감사하다'는 말로 마무리해서다. 감사해야 마땅할 여러 행운은 물론이고 이런저런 불운 속에서도 참깨를 키질하듯 감사할 구석을 찾아내고야 마는 나에게 친구들은 조금 질려 있다. 지칠 줄 모르는 나의 감사 메들리에서 가장 자주 등장하는 대상은 지면이다. 지면이 주어진다는 건 전혀 당연하지 않으니까.

어딘가에 글을 실을 기회가 결코 모든 작가에게 돌아가는 건 아니다. '일간 이슬아' 같은 셀프 지면도 그래서 시작된 것 아니겠는가. 맨 처음 신문에 고정 지면을 얻었을 때 정말이지 감격스러웠다. 종이신문의 시대가 종이책의 시대보다 더 빨리 저물었다고는 하지만 여전히 신문은 어떤 권위를 지녔다. 문학 매대에서라면 나를 그저 스쳐 지나갔을 새로운 독자들과 만날 수 있는 장이기도 했다. 신문이라는 올드미디어 위에서도 나는 잘해보고 싶었다. 물론 지면이 주어졌다고 모든 게 잘 풀리지는 않는다. 그저 뭔가를 시작할 수 있다는 의미일 뿐.

마찬가지로 작가인 절친은 하루가 멀다 하고 내게 전화를 건다. 그는 데뷔 일 년 차 신인이다. "주간지에 보낼 원고를 마감하는데 아무래도 쓰레기를 쓰고 있는 것 같아." 나는 이야기를 쭉 듣고선 대답한다. 쓰레기를 쓰레기라고 알아볼 수 있을 만큼 자기 객관화된 안목에 감사하자. 그걸 알아봤으니 다음에는 더 좋은 원고를 쓸 수 있고 얼마나 좋으냐. 출퇴근하지 않고 집에서 일할 수 있음에 감사하자. 글값으로 십오만 원을 벌 수 있음에 감사하자. 부족한 우리에게 청탁서를 보낸 주간지에게 감사하자. 그리고 마지막으로…… 지면이 주어진 것에 감사하자고 말할 때쯤 친구는 진절머리를 내며 전화를 끊는다.

또 다른 절친에게서 연락이 온다. 걔도 온갖 마감 속에 허덕이는 작가다. 살짝 고장 난 집필 기계처럼 그는 어눌하게 자문한다.

"정말 내가 쭉 이렇게 살게 되는 건가? 그러니까······ 글이란 걸 계속 쓰면서?"

나는 어김없이 대답한다.

"그렇지······ 정말 감사하게도 말이야."

친구는 멍한 표정으로 다시 마감을 하러 간다.

전화를 끊은 내 표정 역시 그와 조금 닮아 있을 것이다. 내게는 한 가지 습관이 있다. 마감이 다가오면 우선 빈 문서를 켠다. 그야말로 텅 빈 문서다. 맨 윗줄에 날짜를 쓴다. 그리고 맨 아랫줄에

'-끝-'

이라고 쓴다. 원래는 마지막에 써야 하는 말이지만 그냥 처음부터 써놓는다. 그렇게 하고 나면 조만간 이 글을 끝낼 수 있을 거라는 믿음이 생긴다. 나는 '-끝-' 위에 쓰기 시작한다.

두말할 것 없이 지면은 무서운 대상이기도 하다. 무서워서 그런지 늘상 마감에 늦게 된다. 수치스럽고 면목 없는 일이라 어디 가서 말하고 다닐 수는 없으나 마감에 관해서라면 나는 정말 지각쟁이다.

모든 청탁서에는 마감일이 적혀 있다. 하지만 대개의

경우 그것은 진짜 마감일이 아니다. 그러니까 원고를 안 보냈을 때 편집부가 발칵 뒤집히는 시점은 아니라는 것이다. 대부분의 출판사와 잡지사의 편집자들은 작가가 늦을 가능성을 염두에 두고 일정을 짜두었다. 이렇게 말할 수 있는 건 나 역시 출판사와 잡지사의 편집자였기 때문이다. 독촉 메일을 받는 인생을 살기 전엔 독촉 메일을 쓰는 입장이었다. 작가들의 게으름에 관해서라면 편집자들은 이골이 나 있다. 안전하게 원고를 수합하기 위해 마감일을 앞당겨 고지하는 것은 그래서다. 그게 바로 데드라인인데, 암묵적인 진짜 데드라인은 며칠 뒤다. 나는 그것을 '데드데드라인'이라고 부른다. 편집과 디자인이 완료된 최종 데이터를 인쇄소에 넘기는 날을 의미한다. 아무리 늦어도 그때는 원고가 들어와야만 한다.

편집자들께 연신 사죄하고 머리를 조아리며 데드데드라인에 겨우 맞춰 원고를 보내는 경우가, 내 삶에는 잦았다. 왜냐하면…… 잘 써야만 하니까. 잘 쓴 글을 시간 맞춰 보내면 완벽하겠으나 그것은 허들 경기에서 일등을 하는 것만큼 어려운 일이다. 때때로 종이책 마감에서는 잘 쓴 원고가 늦지 않은 원고보다 더 중요하게 여겨진다.

그러나 신문 마감에서는 절대 그래선 안 된다. 신문은 매일 아침 전국에 유통되어야 하며 그것이 일간지의 대전제

다. 일간지 마감에 늦는다는 건 있을 수 없는 일이다.

나의 지면은 사 주에 한 번씩 돌아왔다. 사 주가 얼마나 눈 깜짝할 사이 흘러가버리는 시간인지 신문 연재를 하기 전엔 몰랐다. 다른 마감들을 쳐내고 출판사를 운영하고 강연을 다니고 책을 만들고 온갖 잡무를 처리하다 보면 금세 또 새로운 칼럼 마감이 발등에 떨어져 있다. 신문은 사실 검증에 엄격한 매체다. 내 감수성과 경험만으로 지면을 채우면 부족한 칼럼이 되고 만다. 수필이나 소설을 쓸 때와는 다른 근육이 필요하다. 부단히 조사하고 공부하지 않을 수 없다. 타인들에게 자문을 구하는 것도 불가피하다. 동아줄을 잡는 심정으로 전화를 건다. 나보다 아는 것이 많은 친구에게, 활동가에게, 사건 당사자에게, 사건 담당자에게, 국회의원에게, 기자에게, 피디에게, 노조 대표에게……

자료 수집을 마치면 다듬는 시간이 온다. 첫 문단에서 독자가 떠나지 않으려면 어떻게 써야 할까? 도대체 어떻게 끌고 가야 이 글을 끝까지 읽을까? 인쇄를 코앞에 둔 신문 편집부에게는 이렇게 물을 수 없다. "한 시간만 더 주시면 진짜 더 잘 쓸 수 있는데, 제발 기다려주시면 안 될까요?" 당치도 않은 소리다.

결국 언제나 조금 아쉬운 원고를 신문에 보낸다. 폭풍 같은 마감이 지나면 내 책상은 아주 적막하다. 이 적막함을 아는 절친들이 위로를 건넨다. "완성한 글이 가장 잘 쓴 글이야." 하지만 그 말이 진실이 아니라는 것쯤은 나도 알고 친구도 안다. 우리는 챙겨 읽고 있다. 같은 사건을 월등히 다르게 쓰는 선배 작가들의 칼럼을 말이다. 따라잡을 수 없이 훌륭한 이들이 동시대에 숨 쉰다. 익숙한 절망과 함께 내 인생이 흐른다.

하루는 강연을 마치고 집에 돌아오는 길이었다. 차 안에서 오디오매거진 〈정희진의 공부〉가 재생되고 있었다. 정희진 선생님이 해설하는 세상만사를 듣다 보면 내 주위가 온통 유의미한 정보들로 가득 찬다. 우리 할머니네 뒷산 약수터처럼 마르지 않는 지성을 흘려보내주신다. 내게서는 한 번도 그런 물줄기가 솟아났던 적이 없다. 선생님만큼 읽는다면, 선생님만큼 안다면, 그리하여 선생님만큼 말하고 쓸 수 있다면 어떤 기분일까. 나처럼 칼럼을 쓰다가 벌벌 떨며 친구들에게 전화를 거는 짓 따위, 강연을 마치고 울적해지는 일 따위 선생님께는 일어나지 않을 것이다.

방송에서 선생님은 영화 〈머니볼〉의 한 장면을 이야기하기 시작했다. 영화 속 야구팀은 성적이 쭉 부진했으나 여러 역경을 겪으며 도약을 꾀하는 구단이다. 해내야 한다는 부담과 해내고야 말겠다는 오기 속에서 그들은 훈련한다. 하루는 훈련을 마친 두 선수가 로커룸에서 대화를 주고받는다. 이 장면은 아주 짧게 슥 지나갈 뿐 영화의 하이라이트라고는 할 수 없다. 타자인 저스티스가 일루수인 해티버그에게 묻는다.

"뭐가 제일 겁나?(What's your biggest fear?)"

"공이 내 쪽으로 오는 거.(The baseball being hit in my general direction.)"

저스티스가 피식 웃는다. 그도 그럴 것이 해티버그의 포지션은 일루수다. 야구에서 공을 가장 많이 받고 잘 다루어야만 하는 일루수가 공이 자기한테 올 때 가장 무섭다고 대답한 것이다. 저스티스는 장난치지 말고 진짜로 말해보라고 재차 묻는다. 그러나 해티버그가 웃음기 없이 못 박는다.

"농담 아니야. 진짜야.(No, seriously, that is.)"

그리고 이어지는 정희진 선생님의 목소리.

"제가 이 장면에서 엄청 울었어요. (…) 그러니까 이 사람이, 자기가 하는 일이 감당이 안 된다는 얘기잖아요."

그러자 별안간 가슴이 미어졌다. 그러느라 신호가 바뀐 줄도 몰랐다. 뒤차가 클랙슨을 빵 울렸다. 슬퍼도 도로에 멈춰 있으면 안 된다. 나는 운전대를 꼭 붙든 채로 선생님의 음성을 들으며 다시 차를 몰았다.

"직업이든 공부든 생계든 해야만 하는 일이 있잖아요. 회피할 수 없는 일, 회피하면 모든 게 무너지는 그런 일이 누구한테나 있어요. 일루수한테 공은 그런 거죠. 그런데 그 일이 자신감이 없는 거예요. 감당할 수가 없는 거예요."

잘 써야만 하는데 자신이 없는 원고를 마주할 때면 서툰 수영 실력으로 파도에 담기는 것 같은 느낌이 든다고, 선생님은 말씀하셨다. 나는 놀랐다. 이 사람도 무서워한다는 것에. 잘해야만 하는 소중한 일들 앞에서 두려움을 느낀다는 것에. 선생님에게도 글쓰기가 그런 공이라는 사실이 무지막지한 위안이 되었다. 그는 이렇게 이야기를 이어갔다.

"제안을 하나 드립니다. 약간 느슨한 협회를 만드는 거예요. 삶이 감당이 안 되는 사람들의 모임. 그런 모임을 만들어서 각자 상황을 얘기해보면 어떨까. (…) 세상의 모든 일루수한테 마음을 조금 보내주는 거죠. 마음을 조금 보내는 게, 그렇게 어렵지 않아요. 모르는 사람이어도 그 사람이 처한 상황을 서로 생각하는 거죠."

그러니까 이것은 인생을 감당한다는 것에 대한 이야기다. 알고 보면 모두 각자의 삶에서 일루수다. 나는 동파 방지를 위해 아주 살짝만 틀어놓은 수도꼭지처럼 울면서 집으로 돌아왔다.

내일은 또다시 칼럼 마감일이다. 공이 내 쪽으로 오고 있다. 다가오는 공을 본다. 감사하고 두려운 마음으로. 기를 모아 글을 쓴다. 내 원고가 물질이라고 믿으면서, 역시나 자기 삶을 감당 중일 독자의 얼굴을 상상하면서, 첫 문장을 적기 시작한다.

-끝-

끝내주는
인생

이따금 다른 일로 돈을 버는 상상을 한다. 지금은 전업작가지만 몇 년 전에는 아니었다. 몇 년 후엔 어떨까. 삶은 알 수 없다. 언제든 전업작가가 아니게 될 수 있는 것이다. 잡지사 다닐 때 탔던 지하철이나 누드모델 출장 갈 때 탔던 고속버스에서 나는 맹렬히 조는 승객이었다. 졸다가 깨어나면 해가 져 있고 검은 차창에는 희미하게 내 얼굴이 비쳤다. 그 얼굴이 과도기의 얼굴이라고 생각했다. 부디 누군가가 되어야 할 텐데. 지금보다 완성된 누군가. 그러나 아직은 아닌 나의 얼굴.

만약 전업작가가 된다면 나는 나를 덜 걱정할 것 같았다. 이젠 그것이 결코 완성이 아니란 걸 안다. 길고 긴 여정의 시작을 의미할 뿐이다. 이 돈벌이는 실력과 운이 따를 때 유지되는 한시적인 상태에 가깝다. 해마다 감소하는 종이책 판매량에 대해 두런두런 이야기하는 출판계 동료들의 목소리를 들으며 생각에 잠긴다. 독자가 줄어든다면 언제든 새로운 일을 찾아야 한다.

첫 번째로 떠올린 직업은 메일 답장 대리인이다. 지난 십 년 동안 수필도 칼럼도 인터뷰도 아닌 메일 답장을 가장 많이 썼다. 이메일로 하는 협상과 설득 그리고 거절은 나에게 가장 익숙한 장르다. 이 일은 분명 어떤 전문성을 필요로 한다. 답장해야 할 이메일 앞에서 한숨을 쉬는 누군가가 의뢰한다면 나는 신속하게 작업에 착수할 계획이다. 사정을 자세히 들어본 뒤 최선의 문장을 준비하는 것이다. 그 사람 대신 일을 따오고, 설득하기 어려운 상대를 설득하고, 사과를 하거나 사과를 받아내고, 몸값을 올려주고, 가끔은 사고를 수습하기 위해 대신 글을 써준다. 받을 수 있는 돈을 더 받도록, 먹어야 할 욕은 덜 먹도록 말이다. 물론 이 모든 과정은 피곤하고 까다롭다. 메일 한 통당 얼마씩 정식으로 돈을 받아야 할 이유가 충분하다.

두 번째로 떠올린 직업은 마감 관리인이다. 날이 갈수

록 매출이 떨어지는 헤엄 출판사를 작가들의 원고 마감 공간으로 운영한다. 데드라인을 잘 지키는 작가는 이곳에 올 필요가 없겠지만 불행히도 그렇지 않은 작가가 훨씬 많다. 나는 게으른 작가들을 아주 많이 알고 있다. 이들은 마감이 코앞에 닥치기 전까지는 딴짓을 한다. 그러다가 마감이 닥치면 겁에 질린다. 너무 대단한 이야기를 아직 시작하지도 못해서 혹은 아무 이야기도 준비하지 못해서 오들오들 떤다. 나 역시 비슷한 종족이기 때문에 이들을 어떻게 어르고 달래고 조져야 하는지 알고 있다.

우선 픽업 서비스부터 시작할 예정이다. 겁에 질린 작가의 집으로 찾아가서 작가와 노트북을 차에 태운다. 절대 딴 길로 새지 않고 이슬아의 마감 감옥으로 데려온다. 적당히 긴장감이 감도는 책상과 의자에 작가를 앉힌다. 오늘 써야 할 주제와 분량 그리고 남은 시간을 체크한다. 사실 그는 이미 늦었다. 하지만 이미 늦었는데도 더 늦는 작가가 수두룩하다는 것을 잊어서는 안 된다. 마감 관리인으로서 내가 할 일은 그들이 더 늦지 않도록, 너무 늦어버린 나머지 편집자로부터 신뢰를 완전히 잃고 다음 청탁 후보에서 제외되지 않도록 돕는 것이다.

나를 찾아온 이상 작가는 글을 완성하기 전까지 이곳을 빠져나갈 수 없다. 작가에게 입 다물고 글을 쓰게 시킨 뒤 그에게 차와 간식을 내어준다. 지나치게 배부른 탄수화물은 금물이다. 적당한 카페인이 함유된 차와 다양한 담배 종류 그리고 재떨이를 가져다주는 게 좋겠다. 이곳은 아름답고 풍족한 공간이지만 그렇다고 감옥이 아닌 것은 아니다. 작가가 혹시나 에스엔에스에 접속하지 않도록 감시하며 한 시간에 한 번씩 원고 진척 상황을 묻는다. 잘 쓰고 있다면 그냥 두고 못 쓰고 있다면 얼마나 잘 쓸 수 있는지를 상기시켜줘야 한다. 작가였던 사람만이 제공 가능한 용기와 영감을 한껏 불어넣는다. 그래도 정신을 못 차린다면 일러줄 것이다. 완성하지 못한다면 당신의 작가 생명은 수개월 안에 끝장날 거라고. 다른 직업을 찾아야 할 거라고.

든든한 동료이자 조련자로서 그를 압박하고 격려할 노하우가 내게는 있다. 얼마 지나지 않아 나의 집은 여러 편집자들 사이에서 소문이 날 것이다. 이슬아한테 보내면 무조건 글이 나온대⋯⋯ 원고의 퀄리티도 더 좋아진대⋯⋯ 그렇게 나는 출판계에서 공로상을 받게 된다.

그렇지 않을 가능성도 다분하다. 절대로 계획처럼 진행되지 않을 것이다. 첫 번째와 두 번째 일에 실패한다면⋯⋯ 조금 늦은 감이 있지만 요가 지도자 자격증을 따서 출장 요가 강사로 일할 수도 있겠다. 혹은 우리 엄마가 얼마 없는 종잣돈을 털어 비건 반찬 가게를 연다면 그곳의 카운터와 홍보와 고객서비스를 담당할 수도 있겠다. 아니면……

이 모든 생각들은 월경 직전에 요동친다. 배란기에는 유난히 미래가 불투명하게 느껴지기 마련이다. 해보지 않은 일도 잘 해낼 수 있다고, 잘 적응할 수 있다고 스스로에게 말해주며 잠을 청한다. 하루하루 달라지는 기후와 불공평한 세계와 예측하지 못한 고생에도 어떻게든 적응할 수 있다고.

살아남는 이야기는 끝이 없다. 나이 든 언니들은 지난날을 회상하며 말하곤 한다. 하나의 고생을 지나면 또 다른 고생이 있는 생이었다고. 그중에서도 어떤 언니는 이렇게 말하기도 한다. 그렇지만 끝내주는 인생이었다고. 그 언니의 말을 들으면 너무 용기가 나서 막 웃는다.

나는 내가 고생 한복판에서도 이렇게 농담할 수 있는 사람이기를 희망한다. "오, 끝내주는데?" 임종 직전에도 이렇게 말하고 싶다. "정말이지 끝내주는 인생이었어." 그날이 죽는 날임을 미리 알아차릴 행운이 주어진다면 말이다. 삶이 언제까지 계속될지는 모르겠지만 메일 답장 대리인도, 마감 관리인도, 요가 강사도 아닌 전업작가로 가능한 한 오래 살아남았으면 좋겠다.

전업작가라는, 마법 같고 신기루 같은 이 시절을 함께 하는 사람들에게 고마움을 전한다. 마지막 문장을 쓰게 하는 건 언제나 독자다. 독자가 글을 완성시킨다는 진실을 작가만큼 사무치게 아는 사람이 또 있을까. 그들이 기다려주기 때문에, 그들을 두려워하고 좋아하기 때문에 날마다 겨우 글을 완성한다.

글을 보내고 나면 책상을 치운다. 노트북과 키보드와 찻잔이 있는 나무 책상이다. 아침마다 책상에 앉을 수 있다면, 이 단출한 장소로 다시 돌아올 수만 있다면, 어디든 다녀올 수 있을 것 같다.

에필로그

나만은 아닌 나

《끝내주는 인생》의 편집자는 김진형이다. 몇 달간 '김진형 선생님께'로 시작하는 메일을 수도 없이 썼다. 아무리 깊은 새벽에 메일을 보내도 그는 곧바로 읽는다. 왜 안 자는 걸까 싶지만 나 역시 아직 일하고 있으니까 얼추 이해가 된다. 수신자가 다른 사람이라면 아침에 메일을 받을 수 있게끔 예약 발송을 걸어두었을 텐데 선생님에게는 그렇게 하지 않았다. 선생님과 내가 동시에 깨어 있다는 게 신나기 때문이었다. 선생님 역시 새벽 서너 시에 호롱불 같은 답장을 써서 보낸다. 좋아하는 사람들끼리 작은 실례를 범하며 원고를 고치다 잠든다. 꿈에서는 영화에나 나올 법한 멋진 정원을 거니는 선생님의 모습을 본다. 그렇게 낭만적인 와중에도 선생님의 어깨엔 어김없이 서류가방이 걸쳐져 있다. 가방은 원고 더미와 종이 샘플로 묵직하다. 빼도 박도 못하게 편집자의 짐이다.

한낮에는 미팅을 하기도 한다. 김진형 선생님은 오른손엔 서류가방을, 왼손엔 꽃을 든 채로 나타난다. 꿈결 같은 꽃향기 옆에서 우리가 상의하는 내용이란 온갖 세세한 것들이다. 책의 판형, 종이의 질감, 두께, 가격, 사진의 밝기, 위치, 글자의 모양, 크기, 간격, 글의 순서, 조사 하나, 부사 하나를 두고 한참 대화를 주고받는다. 우리의 생각이 언제나 같지는 않다. 그럼 나는 반대하고 새로운 것을 제안한다. 그러는 사이 내가 선생님을 얼마나 좋아하고 신뢰하는지 잊힐까 걱정이 된다. 그래서 반대 의견을 꽃수레 같은 언어에 태워서 보낸다. 하루는 선생님에게 묻는다. 제가 하나하나 관여해서 혹시 피곤하시느냐고. 선생님은 대답한다. 정성과 예의를 갖추는 선에서 우리는 최선을 다해 침범해야 한다고. 사랑이란 본래 그런 것이지 않느냐고.

사랑과 침범이 너무 좋은 나머지 이 책을 영원히 만들고 싶었다.

그러나 세상 대부분의 일에는 끝이 있다. 어느 날 김진형 선생님은 이런 이야기를 들려주었다.

"요즘 '유래'라는 말을 계속 곱씹고 있어요. 예를 들어 제 아이들인 예지와 예서의 유래는 당연히 진형과 순일이라 생각해왔는데요. 오히려 저의 유래야말로 예지와 예서가 아닐까, 저의 유래는 제 아내인 순일이 아닐까 싶은 거예요. 이런 세상 살아 무엇 하나 하는 사춘기적 우울을 여태 앓고 있는 저에게, 삶의 지속가능성은 예지와 예서 그리고 순일로부터 유래하거든요.

유래는 존재의 기원일 텐데요. 제가 순남씨를 알게 된 건 슬아 작가님 덕분이므로 적어도 저의 세계에서 순남씨는 슬아 작가님으로부터 유래하죠. 고양이 탐이도 작가님으로부터 유래하고요. 여성의 계보도 그렇습니다. 작가님이 만들어가는 세상에서 잊힌 여자의 계보가 복원되죠. 우리는 분명 누군가로부터 유래한 사람들인데요. 그가 저를 낳은 사람일수도 있겠으나 저를 기억하게 만드는 사람들일 수도 있겠어요."

그러자 이 책이 끝나도 끝나지 않으리란 걸 알게 되었다. 할머니의 삶이 끝났어도 나를 통해 선생님의 마음속에 살아있듯이, 책이 내 손을 떠난 후에도 누군가에게는 이제 막 시작되는 이야기가 될 것이다.

기억을 더듬어보니 내 이름으로 된 책이 한 권도 없었을 때조차 나는 김진형 선생님의 주변을 서성거렸다. 우리가 같은 책들 앞에서 아름다움을 느낀다는 걸 알 수 있었기 때문이다. 처음 만나던 날엔 비가 억수로 쏟아졌다. 약속 장소를 착각한 탓에 그는 이리 뛰고 저리 뛰다가 헐레벌떡 도착했다. 늦어서 죄송하다며 연신 사과도 했다. 훗날 내가 똑같은 사과를 수없이 돌려드리게 될 것을 그땐 몰랐다. 우리는 세상의 수많은 아름다운 책들을 얘기하다가 헤어졌다. 그런 수다라면 끝도 없이 이어갈 수도 있을 것 같았다. 그날부터 꼭 그와 책을 만들고 싶었다. 그러므로 이 책은 비가 억수로 쏟아지던 오후로부터 유래하기도 한다.

이 책의 사진들은 이훤에게서 유래했다. 나의 유래에 대한 글을 보여주자 이훤은 그보다 더 깊고 오래된 장면들을 세상 곳곳에서 건져 올렸다. 내 문장은 이훤이 만든 이미지를 타고 더 멀리멀리 간다. 우리가 이렇게 가슴 뛰는 작업을 오랫동안 함께 하게 되리라는 걸 직감해서였는지 그를 만났을 때 심장이 저릿할 만큼 반가웠다. 도대체 어디에 있다가 이제야 나타난 거냐고 멱살을 잡고 묻고 싶을 만큼이었다. 그의 조력 없이 지냈던 시간을 생각하면 아득해진다. 일과 쉼과 생활 속에서 나는 잠깐씩 이훤의 눈으로 세상을 보곤 한다. 이훤이 내 눈으로 세상을 보곤 하듯이. 사랑하는 동안 우리는 자기 자신이기만 할 수는 없다.

"나만은 아닌 나"라는 표현은 안담에게서 유래했다. 동료 작가인 안담과 하은빈과 이훤과 나는 늘 서로의 글을 읽어준다. 그들이 아니었으면 고치지 못했을 문장이 수두룩하다. 이 책에 쓰인 새로운 문장의 대부분은 세 명의 다른 작가에게서 유래했음을 밝힌다. 《끝내주는 인생》에 걸맞게 끝내주는 옷을 입혀주신 디자이너 박연미 실장님을 비롯해 판권면에 적힌 모든 선생님들께도 감사의 인사를 전한다. 이 책은 그들의 것이기도 하다.

나에게 글을 가르쳐준 할아버지에게, 그리고 글보다 더 한 걸 가르쳐준 할머니에게 이 책을 바치고 싶다.

2023년 초여름 정릉에서

이슬아

이슬아와 이찬희가 부르는 노래들

59면 —〈동해〉

작사 · 작곡 이찬희 | 노래 차세대

69면 —〈그랜드도터〉

작사 · 작곡 이슬아 | 노래 이슬아

89면 —〈형제자매〉

작사 · 작곡 남고래 | 노래 차세대

129면 —〈행복의 나라로〉

작사 · 작곡 한대수 | 노래 이슬아

글 **이슬아**

1992년 서울에서 태어나 살아가고 있다. 2014년 데뷔 후 수필, 소설, 칼럼, 서평, 인터뷰, 서간문, 드라마 각본 등 다양한 장르를 넘나들며 글을 쓴다.《가녀장의 시대》《부지런한 사랑》《깨끗한 존경》《새 마음으로》《날씨와 얼굴》 등 다수의 책을 썼다. 정릉에서 헤엄 출판사를 운영한다.
@sullalee

사진 **이훤**

텍스트와 이미지로 이야기를 만든다. 2014년 데뷔 후 시집《양눈잡이》 등의 책을 쓰고 찍었다. 시카고예술대학교에서 사진학 석사를 마쳤고 〈Tell Them I Said Hello〉 등의 개인전과 공동전을 미국, 중국, 캐나다, 스코틀랜드에서 가졌다. 정릉에서 스튜디오 겸 교습소 '작업실 두 눈'을 운영한다.
PoetHwon.com | @__leeHwon

끝내주는 인생

1판 1쇄 펴냄 2023년 7월 3일
1판 6쇄 펴냄 2024년 2월 25일

지은이 이슬아
사진 이훤
펴낸이 김정호

주간 김진형
편집 김진형 원보름
디자인 박연미 박애영

펴낸곳 디플롯
출판등록 2021년 2월 19일(제2021-000020호)
주소 10881 경기도 파주시 회동길 445-3 2층
전화 031-955-9503(편집) · 031-955-9514(주문)
팩스 031-955-9519
이메일 dplot@acanet.co.kr
페이스북 facebook.com/dplotpress
인스타그램 instagram.com/dplotpress

ISBN 979-11-982782-2-7 03810